P9-AOM-172

PARIS
MYSTIFIÉ

BRUNO FOUCART
SÉBASTIEN LOSTE
ANTOINE SCHNAPPER

PARIS MYSTIFIÉ

La grande illusion du Grand Louvre

Préface de Henri Cartier-Bresson

JULLIARD
8, rue Garancière
PARIS

ISBN 2-260-00395-8

PRÉFACE

Comme je sortais de l'Orangerie, où j'avais vu la maquette de la pyramide, je disais à voix presque basse ma surprise et ma peine. Deux jeunes gens m'interpellèrent : « Vous êtes de ceux qui, il y a cent ans, condamnaient les impressionnistes ! »

Je répondis tristement : « Revoyons-nous dans cent ans » et je pensais à mes amis disparus, Max Jacob, René Crevel, Max Ernst, Alberto Giacometti et à tant d'autres, qui vivent en moi et dont les noms ne sont pas passés à ce que l'on appelle la célébrité.

La plus séduisante des maquettes ne sera jamais qu'un village de poupées vu d'un hélicoptère. *Seule une maquette élevée sur place et aux dimensions exactes permettrait de juger l'œuvre dans son environnement.*

Mais est-ce une nécessité absolue de dresser une pyramide transparente-réfléchissante devant l'Arc de Triomphe du Carrousel ?

Cet espace du Louvre est unique au monde par ses proportions. Elles sont si justes que l'introduction d'un corps totalement étranger sera fatale à la perception de son rythme. Pourquoi remplir un espace qui ne demande pas à l'être ? Quand un espace a atteint son point d'équilibre, on n'a ni le besoin, ni même le droit d'y toucher.

Un Grand Louvre, OUI. Le gigantisme, NON. Oui, il

faut offrir à d'innombrables visiteurs la délectation de la peinture et de la sculpture. Mais pourquoi mettre en concurrence les escalators du Centre Pompidou avec une ingurgitation souterraine par la trappe de la pyramide ?

La démesure fascine un instant, mais elle devient insupportable à la longue.

Seule la mesure ne dévoile jamais son secret.

Henri Cartier-Bresson
2 novembre 1984

à grand renfort de panneaux explicatifs, de projections audio-visuelles et de maquettes présente dans le sous-sol de l'Orangerie l'état futur du Louvre lorsqu'il aura « grandi », c'est-à-dire annexé les espaces qu'occupe aujourd'hui le ministère de l'Économie, des Finances et du Budget.

Cette exposition n'est d'ailleurs pas la première à vanter les mérites du futur musée : au printemps dernier, l'Institut Français d'Architecture, rue de Tournon, montrait déjà une maquette du Palais avec, en son centre, la pyramide de verre que M. Pei projette d'y implanter. Divers textes d'accompagnement garantissaient l'excellence du parti architectural et du programme d'aménagement du futur musée de la pyramide : « Cette forme géométrique parfaite sera la seule émergence d'une architecture entièrement souterraine. Résultat d'une exigence interne et fonctionnelle du musée, elle s'insérera dans le contexte urbain *sans affronter l'architecture du Palais* et deviendra l'élément central d'une nouvelle grand-place de Paris enfin ouverte à la vie. »

Quant au programme, il se recommande par « une meilleure répartition des collections, un renouvellement des circuits muséologiques, la possibilité d'animations nouvelles et d'actions novatrices ».

« Qui croire ? » se demandera le Parisien, pris entre les mises en garde désabusées du *Monde* et l'autosatisfaction de l'administration : le pessimisme du premier est-il excessif ? ou, à l'inverse, les déclarations officielles ne forment-elles qu'un nouveau chapitre ajouté à la longue histoire des mystifications dont Paris a été la victime ?

« Les princes qui nous gouvernent » répètent volontiers : « Il faut dire la vérité aux Français » : pourtant, des remaniements ministériels démentis le jour même où ils sont décidés, aux bulletins de santé d'un optimisme à tout crin, alors que l'illustre patient est à l'article de la mort, les mystifications officielles n'ont, en somme, jamais cessé de berner M. Gogo. « Le beau mensonge et la pieuse ruse » fleurissent, notamment en matière d'architecture et d'urbanisme, afin d'éviter que les réactions intempestives des citoyens concernés ne dérangent les calculs des « aménageurs », les dogmes des pontifes de l'art monumental et les opérations de « remodelage » auxquelles président les chirurgiens du tissu urbain.

Est-ce une consolation de se dire que le Paris du XIXe siècle était sans doute tout aussi souvent mystifié que celui d'aujourd'hui ?

Ouvrons le compte rendu des débats de la Chambre des députés à la date du 10 juin 1890. Depuis plus de huit mois, l'Exposition universelle a fermé ses portes, mais, sur le Champ-de-Mars, ses principaux palais encadrent toujours en fer à cheval la « Tour de 300 mètres », qui ne porte pas encore le nom d'Eiffel. Doit-on les conserver ? Il faut, en particulier, trancher le sort de la Galerie des Machines, cette cathédrale industrielle, plus haute que le Crystal Palace, plus large que la nef métallique du Palais de l'Industrie, construit pour l'Exposition universelle de 1855 au bas des Champs-Élysées. Elle est le *nec plus ultra* de l'architecture du fer ; elle est claire, elle est nette, elle est simple. A cinquante centimètres près, la colonne Vendôme tiendrait debout sous son faîtage de 43,5 mètres sous clef.

Ce chef-d'œuvre est à la pointe des techniques avancées, mais est-il à sa place en cet endroit ? Sa façade, longue de 420 mètres, ne risque-t-elle pas de masquer celle de l'École militaire ? De déparer l'une des plus belles perspectives de la capitale ? De jurer avec les colonnes, les entablements, les frontons de Jacques-Ange Gabriel ? Oui, disent les Parisiens. Non, rétorque Antonin Proust, qui rapporte le projet de loi « relatif à la conservation de monuments de l'Exposition universelle de 1889 ».

Du haut de la tribune, l'un de ses adversaires, le marquis de La Ferronnays, député de Loire-Inférieure (aujourd'hui Loire-Atlantique), se fait l'écho des inquiétudes du public : N'y a-t-il pas, demande-t-il, « un crime de lèse-nation à masquer cette magnifique façade de l'École militaire, qui est incontestablement un des plus beaux monuments de Paris ? » N'en déplaise à l'architecte Dutert, qui l'a dessinée, à l'ingénieur Contamin, qui en a calculé le profil, pour l'harmonie du Champ-de-Mars et même dans son propre intérêt elle doit disparaître : une esplanade bordée d'arbres la remplacera fort avantageusement.

« Du tout ! » réplique Antonin Proust. Et il cloue son interpellateur par les deux arguments que voici :

1) La galerie des machines est séparée de l'École militaire par la largeur de l'avenue de la Motte-Picquet, augmentée de celle de ses trottoirs, soit 80 mètres. Ces 80 mètres donnent un recul suffisant.

2) *A contrario,* une esplanade est contre-indiquée : ses arbres formeraient rideau, et c'est alors que, pour le coup, enfouie sous une végétation luxuriante, l'École militaire cesserait d'être visible.

Mais laissons parler l'orateur :

« Je ferai observer à M. de La Ferronnays, déclare Antonin Proust sans rire, que, si l'École militaire n'a plus devant elle un aussi vaste emplacement que le Champ-de-Mars, elle n'est nullement cachée (*exclamations sur divers bancs*).

« Vous avez, messieurs, devant l'École militaire une place qui a 80 mètres de largeur (...)

« M. de La Ferronnays voudrait, dans l'intérêt des populations du VIIe et du XVe arrondissement, que l'on plantât un parc dans le Champ-de-Mars sur l'emplacement de la Galerie des Machines ; mais ce parc contiendra des arbres, qui grandiront et qui finiront par voiler l'École militaire. Pour moi, je dis que, quand on a conservé devant un édifice comme l'École militaire une place de 80 mètres, on a réservé tout le recul nécessaire pour que cet édifice puisse être vu dans la partie intéressante de la façade, qui occupe le centre d'une étendue de 500 mètres. Je dis qu'il n'y a absolument aucune raison pour démolir la Galerie des Machines parce qu'elle masque l'École militaire, attendu que l'École militaire peut être vue de l'entrée de la Galerie des Machines, comme elle était vue précédemment de l'intérieur du Champ-de-Mars. »

Impressionnée par tant d'assurance, la Chambre adopta par 387 voix contre 47 la proposition d'Antonin Proust. La Galerie des Machines fut donc maintenue *in situ*. Mais, *attendu que*, de toute évidence, l'École militaire *ne pouvait pas* être vue de l'entrée de la Galerie des Machines ainsi qu'elle l'était auparavant de l'intérieur du Champ-de-Mars, on la jeta à bas en 1909, sans, d'ailleurs, prendre la peine de la remonter dans un endroit mieux approprié. On planta des arbres sur son emplacement. Le Champ-de-Mars ne devint pas, pour autant, une forêt vierge. L'École militaire et ses abords, tels qu'ils avaient été conçus, furent restitués aux Parisiens.

Ils en avaient été privés durant dix-neuf ans.

Si spécieuse qu'apparaisse aujourd'hui la thèse que défendait Antonin Proust, l'ancien secrétaire et ami de Gambetta, l'éphémère détenteur du portefeuille des Beaux-Arts dans le « Grand Ministère », l'inspirateur du premier hommage officiel qu'ait reçu Manet à titre posthume n'en reste pas moins l'un de ceux qui ont le mieux servi, pour reprendre le titre de l'un de ses ouvrages, *l'Art sous la République*. Mais, en ce mardi 10 juin 1890, il était décidé à emporter le vote de la Chambre : tout ce qui contrariait sa thèse était insoutenable, irréalisable, indéfendable, impraticable, inepte.

A l'inverse, tous les moyens lui étaient bons pour mystifier Paris.

II

LE CITOYEN, LE PRÉSIDENT ET LES POUVOIRS

On pourrait croire que le passage du régime d'assemblée à cette monarchie républicaine qu'a instaurée la Ve République préserverait désormais Paris d'être berné par la faconde d'un parlementaire habile. Assurément ! En revanche, les pouvoirs technocratiques ont pris le relais. Ils ont même apporté à l'art de déguiser la vérité certains perfectionnements qui sont loin d'être négligeables.

Peut-être parce que la méfiance du public a fini par s'éveiller et qu'il ne suffit plus de lui assener quelques gros bobards, ou, plus vraisemblablement, parce que, porté par le progrès de la civilisation industrielle, l'illusionnisme est devenu scientifique, désormais les nouveaux pouvoirs ne se bornent plus à affirmer : ils puisent à pleines mains dans l'arsenal des sciences exactes de quoi démontrer que la lune brille en plein midi.

Ainsi, dans les années 1966-1967 — donc bien avant que l'on ne détruisît les pavillons de Baltard — les hauts fonctionnaires, urbanistes et programmateurs, qui avaient la haute main sur les Halles, étaient unanimes à considérer que leur « rénovation », qui est, on le sait, le synonyme pudique de destruction, devait s'étendre à autant d'îlots anciens que possible : de la rue de Rivoli au débouché de la rue Montorgueil et du quartier du Palais-Royal au Marais, ils condamnaient sans appel tout ce qu'avait épargné Haussmann, hormis quelques vestiges, derniers témoins du Paris de Molière et de Regnard, auxquels ils accordaient par faveur spéciale un ultime sursis.

Encore leur fallait-il, si peu que ce fût, justifier le sort qu'ils réservaient à ces quelque 268 immeubles vénérables, qu'ils entendaient livrer d'un trait de plume à l'intérêt bien compris des démolisseurs.

A cet effet, en juin 1966, une société d'études édita pour le compte de l'administration un rapport intitulé *Données actuelles du quartier des Halles,* qu'elle diffusa dans les milieux dits « autorisés », sans que l'on précise toujours exactement à quoi.

Cette étude, tirée sous la forme d'un album oblong d'une trentaine de pages sur papier glacé, hérissée de chiffres, émaillée de statistiques et truffée de plans en quadrichromie du parcellaire parisien, dresse un constat apparemment aussi neutre qu'un *check-up :* avec une froide, mais éloquente précision, elle dénombre 1 279 logements sur 9 314 dépourvus d'eau courante et 5 686 sans W.-C ; 50,2 % des maisons d'habitation sont dans un état « médiocre ou vétuste ». Le reste, à l'avenant. La conclusion s'impose : aucun promoteur ne sera assez prodigue pour envisager de restaurer un seul de ces immeubles « en état d'usure avancée, dont la façade est gravement lézardée, les éléments de structure intérieure décollés ou la couverture défaillante ». Aucun hygiéniste ne défendra des taudis « dont la quasi-totalité présente un degré d'insalubrité élevé ». Nul amoureux des vieilles pierres ne se lèvera pour prendre la défense de masures, qui méritent tout au plus, vu leur grand âge, le vague qualificatif d'« immeubles d'accompagnement ». Qui serait, enfin, assez riche ou assez fou pour consacrer son temps ou son argent au sauvetage des trous à rats de la rue Quincampoix, de la rue de Venise, de la rue de la Grande-Truanderie ? Leur délabrement les condamne. Il faut les détruire au plus tôt.

Sur la foi de ce rapport *en béton,* on aurait balayé sans regret toutes ces vieilleries, si les Parisiens ne s'étaient émus. Trois membres de la commission du Vieux Paris,

Jean-Pierre Babelon, Michel Fleury, Jacques de Sacy publièrent un contre-inventaire, intitulé *Richesses d'art du quartier des Halles, maison par maison,* qui plaidait, documents d'archives et photographies à l'appui, la cause de ce patrimoine décrié. Des écrivains (Pierre Emmanuel, Roger Caillois), des hommes de théâtre (Jean-Louis Barrault), des artistes (Bazaine, Masson, Pignon) se liguèrent « contre le massacre du quartier des Halles ». Dans une communication à l'Académie des Beaux-Arts, l'architecte Laprade dénonça le danger de « s'attarder à de sordides histoires de rentabilité ». André Chastel titrait brutalement un article du *Monde,* « Paris : bateau ivre » : « Tout succombera à la mécanique à deux temps : circulation, rentabilité, qui tient lieu de pensée claire et dérive à coup sûr le bâtiment vers le médiocre et vers le pire. » Après avoir écarté d'un revers de main ce rapport, dont les chiffres qui le bardaient ne lui faisaient pas un seul instant illusion, il demandait : « Et le grand programme du vrai centre de Paris ? (...). Vous parlez comme s'il n'en avait jamais été question sérieusement. » Il concluait comme il avait commencé : « Rentabilité et circulation servent de réponse à tout. Allons, un peu de bon sens ! »

On connaît la suite : alerté par ce torrent de protestations, le général de Gaulle accorda le retrait du projet officiel. Les autorités, qui avaient fomenté ce massacre, capitulèrent. Par contrecoup, les promoteurs s'intéressèrent soudain à la rue des Juges-Consuls, à la rue des Lombards. Ils consolidèrent et assainirent les nids à rats. La construction du Centre Pompidou, la création d'un quartier piétonnier firent le reste : ravalés, restaurés, les « immeubles d'accompagnement médiocres ou vétustes » qui entourent Saint-Merry ont retrouvé leur dignité première. Demandez les prix auxquels se louent ces taudis que l'on disait irrécupérables : ils sont parmi les plus élevés de Paris.

Paris mystifié

En ces temps déjà lointains, les pouvoirs, pour mystifier Paris, y mettaient encore les formes : ils présentaient un rapport « scientifique ». Mais, bientôt, ils ne s'embarrassèrent plus de tant de précautions : ils jugèrent suffisant de trancher toute velléité de débat à l'aide d'une formule couperet, qui tient en trois mots : « c'est impossible ! »

Mai 1970, 3, rue de Valois, au quatrième étage du ministère de la Culture, quelques esprits chagrins expriment à deux hauts fonctionnaires de la direction de l'architecture leur regret de voir disparaître tous les pavillons de Baltard sans exception. Pourquoi n'en sauverait-on pas au moins un ? Il ne devrait pas être si difficile de renouveler à plus d'un siècle de distance et à une bien moindre échelle l'exploit de Paxton, qui, à la fin de 1851, avait fait transporter en quelques semaines de Hyde Park à la colline de Sydenham, distante d'une dizaine de miles, le Crystal Palace, cet édifice de fer et de verre, long de plus de 500 mètres, qui avait abrité la première Exposition universelle.

Réponse : « C'est impossible ! »

Motif : les piliers porteurs de ces pavillons, leurs entretoises, leurs fermes sont en fonte. Or, celle-ci, comme chacun sait, est éminemment fragile : même avec des ménagements infinis, une pièce sur deux serait cassée au démontage. En conséquence, si l'on voulait disposer d'un nombre de pièces détachées suffisantes pour reconstituer un pavillon, il faudrait en mettre deux ou trois en morceaux — et le jeu n'en vaudrait plus la chandelle.

Les questionneurs, qui n'étaient pas métallurgistes, s'inclinèrent devant tant de technicité.

Juillet 1971 : la démolition des pavillons de Baltard a commencé. Elle agite l'opinion. Des gêneurs écrivent et manifestent. On voit même, à la tête du cortège de protestation qui fait le tour du quartier des Halles, le président du jury international qui tient au même moment ses assises, afin de désigner, conformément au vœu du président de la République, l'architecte du futur Centre Beaubourg. Allons ! Il faut jeter du lest et apaiser les mécontents...

Le président Pompidou se laisse enfin convaincre : Il décide que l'on démontera un pavillon Baltard ; la municipalité qui en fera la demande le recevra en pièces détachées.

Sur-le-champ, l'impossible devient possible : on fait grâce au pavillon n° 8, qui abritait le marché des œufs et de la volaille. On découvre à Gennevilliers et à Péronne deux entreprises qualifiées pour désarticuler la charpente après en avoir numéroté les éléments. Un ingénieur du service de la navigation fluviale est requis : son expérience des ponts métalliques sera précieuse pour surveiller le chantier. On trouve l'argent : 5 millions, dont 1 787 000 F pour le démontage proprement dit ; le reste sera attribué à la commune qui accueillera le rescapé. Sur la proposition de son maire, M. Nungesser, Nogent-sur-Marne est choisie. Cette commune intelligente transforme sa nouvelle acquisition, qu'elle nomme amicalement « le Baltard », en un centre de spectacles, d'expositions et de congrès. En décembre 1977, elle inaugure son pavillon. Il est classé monument historique par un arrêté du 20 octobre 1982. Restauré, repeint, il a fière et charmante allure, entouré de son « square du Vieux Paris », sur une terrasse qui domine la Marne. Sur le côté de l'autoroute qui mène à Reims et à Nancy, un panneau signale sa présence. Aujourd'hui, Nogent-sur-Marne peut se vanter avec raison de posséder « le plus bel espace polyvalent de la région Ile-de-France ».

Après les vieilles rues du quartier des Halles, graciées

par le général de Gaulle et le sauvetage d'un pavillon de Baltard, dû à l'intervention *in extremis* du président Pompidou, citons une dernière impossibilité, miraculeusement levée par l'intercession du Très-Haut.

En 1974, il était archi-décidé qu'un centre international de commerce serait bâti devant Saint-Eustache. Soixante associations étaient parties en guerre contre ce projet : « La place de ce centre, répétaient-elles à satiété (en dernier lieu, dans un communiqué que reproduit *le Monde* du 7 août 1974), n'est pas au milieu de Paris. Cela est en contradiction avec toutes les déclarations officielles, condamnant la concentration des bureaux au cœur de la ville (90 000 mètres carrés de plancher, dont 40 000 mètres carrés de bureaux au-dessus du sol). Il est absurde de l'installer là où son emprise est étroitement limitée au départ et son extension impossible (alors qu'on sait que celui de Bruxelles est sept fois plus grand). Il est scandaleux, au moment où il n'est question que de municipalisation des sols, d'aliéner au profit d'intérêts privés des terrains propriété de la ville, alors que celle-ci manque d'espaces publics. Et surtout la présence d'une pareille masse et son aspect nécessairement fonctionnel sont incompatibles avec la création d'un nouveau site de premier ordre à Paris, comme il n'en a plus été créé depuis longtemps : le "site Saint-Eustache", où peut être aménagé un grand parterre piétonnier mettant en valeur la façade sud de la seconde grand-nef de Paris. »

Balayant ces arguments et quelques autres tout aussi solides, une fois encore tomba la réponse fatidique : « c'est impossible » : la construction du centre international de commerce était, en effet, nécessaire à l'équilibre financier de l'opération des Halles.

Ainsi, les associations tournaient-elles à l'intérieur d'un cercle infernal. On se débarrassait de l'ensemble des pavillons de Baltard, pour permettre une opération d'aménagement que la population n'aurait pas nécessairement souhaitée aussi ambitieuse ; cette ambition en augmentait le prix ; du coup, pour la rendre rentable, ou du moins pas trop onéreuse pour la collectivité, qui ne l'avait pas demandée, on projetait d'élever devant Saint-Eustache un bâtiment dont elle voulait encore moins.

Survient un nouveau président, M. Giscard d'Estaing. Il s'interroge sur l'opportunité d'un tel Centre en un tel lieu. Il conclut dans le sens des associations de sauvegarde. Il le dit. A l'instant, selon l'usage, l'impossible devient possible. Le projet est immédiatement abandonné. Les sommes à verser à titre de dédommagement aux promoteurs sont lourdes, assurément. N'importe ! On dégage les crédits nécessaires et l'on paie.

Dans une interview qu'il accorda au *Point* le 7 avril 1975, M. Giscard d'Estaing a expliqué lumineusement par quelle suite inéluctable d'événements et de décisions se montent des opérations sur lesquelles se brisent tous les arguments, tous les raisonnements, toutes les objections : « J'observais (avant mon élection), déclare-t-il, que ces opérations présentaient certains caractères communs : le premier était que, chaque fois que je parlais à quelqu'un de l'une d'elles, il était "contre". Car toutes résultaient d'un processus complexe, dans lequel intervenaient les administrations locales et nationales, inextricablement mêlées, et sans qu'à aucun moment il y ait eu de véritable débat. Ainsi, dans l'affaire des Halles, tous ceux que je rencontrais déploraient les constructions envisagées. Et quand je leur disais : "Alors, ce serait mieux d'y mettre un espace vert !", ils répondaient : "Mais bien sûr, cela va de soi." Pourtant, au total, le déroulement de l'opération aboutissait à un résultat inverse ! Je me suis dit qu'il fallait donc commencer par arrêter le processus, pour se donner au moins le temps de la réflexion. Et, constatez-le, depuis ma décision, plus personne ne parle de recommencer...

« La deuxième caractéristique, singulière, c'est qu'on faisait finalement le contraire de ce qu'on affirmait vouloir faire. Ainsi, on proclamait : "Il faut décongestionner le centre des villes, en éloigner la circulation automobile et protéger les sites historiques". Et on allait créer sur la rive gauche, au pied de Notre-Dame, une voie express traversant totalement l'agglomération.

« Troisième élément surprenant : les arguments qui étaient fournis pour entreprendre les opérations n'étaient jamais ceux qui étaient à l'origine de la décision. Ainsi, pour justifier la surélévation des tours de bureaux à La Défense, on expliquait : "Après tout, des tours très hautes peuvent avoir une signification architecturale. " Mais je savais bien que, si l'on avait décidé de rajouter quelques étages à ces tours, c'était pour des raisons financières et non pour des raisons esthétiques. Le débat était biaisé.

« C'est pourquoi j'ai voulu rompre cette espèce de cercle infernal qui faisait que, finalement, les décisions étaient prises sans qu'on sache très bien par qui, pour faire le contraire de ce que l'on disait vouloir faire et en contradiction avec les souhaits de l'opinion. »

Cette analyse rigoureuse est, toutefois, incomplète : M. Giscard d'Estaing n'a pas précisé comment ni par qui peut s'entrouvrir ce cercle infernal.

Il faut croire que seul le fait d'être élu président de la République donne l'autorité et le recul nécessaires pour arbitrer en faveur du citoyen contre les pouvoirs. Ainsi, presque un an jour pour jour avant que le président Giscard d'Estaing, en condamnant le projet de centre de commerce international, ne brisât le cercle fatidique, le ministre de l'Économie et des Finances Giscard d'Estaing contribuait à le resserrer, puisqu'il donnait à ce bâtiment son approbation formelle : « Je me réjouis, déclarait-il publiquement le 3 juillet 1973, du choix du bâtiment dont les proportions sont compatibles avec ce quartier, voisin du ministère des Finances, et à l'existence duquel les Parisiens et moi-même sommes très attachés. »

De ces quatre histoires vraies, il serait évidemment absurde de déduire qu'en France les opérations d'urbanisme et de rénovation sont uniformément viciées et que tous les parfums d'Arabie ne pourraient laver de leurs turpitudes les milliers de mains qui, chaque jour, de Strasbourg à Brest et de Calais à Bonifacio, élaborent d'honnêtes projets de rénovation, parachèvent des programmes corrects et signent par centaines des décisions qui intéressent le « cadre de vie » de leurs concitoyens. En revanche, les adversaires heureux ou malheureux de tel ou tel projet, de l'érection de la Tour Maine-Montparnasse à la démolition, évitée de justesse, de la Gare d'Orsay, savent d'expérience que les règles élémentaires de la démocratie — permettre au citoyen de connaître les intentions officielles, écouter avec sympathie l'avis des usagers — sont aisément bafouées, lorsque la collusion d'intérêts financiers et de calculs politiques se renforce des partis pris d'une administration sûre d'elle-même et dominatrice.

Sans doute, en principe, on ne peut exproprier, lotir, accorder un permis de construire, dresser un plan d'occupation des sols, etc., sans respecter certaines procédures, des enquêtes préalables à l'affichage du permis sur le terrain en passant par la saisine d'un certain nombre d'instances consultatives ; on s'efforce même périodiquement de parfaire ces garanties, afin que, de bout en bout, les opérations de construction et d'urbanisme soient conduites au grand jour. Toutefois, dès qu'une question d'aménagement urbain prend une ampleur nationale et un tour politique, il est malheureusement archi-démontré que les particuliers, même regroupés en associations qu'arme l'énergie du désespoir, ne peuvent pas grand-chose pour amener à composition, par la seule force de la raison démonstrative, les oligarchies administratives et financières, lorsque celles-ci sont résolues à imposer une solution de leur cru.

Depuis que la Ve République a renforcé les pouvoirs du chef de l'État, il existe, cependant, un recours : comme jadis on en appelait au roi des abus de pouvoir des grands féodaux, on peut tenter d'alerter le président sur les excès des féodalités technocratiques.

Si le prince-président se laisse convaincre et se prononce en faveur du public contre les minorités dominantes, soudain *l'espoir change de camp, le combat change d'âme :* les oppositions se dissolvent, on déchire les plans, on trouve l'argent, des arguments que l'on disait coulés dans le bronze s'effilochent et se dissolvent dans l'azur, telles des traînées de brume aux premières heures d'une matinée de printemps. Cette *redoutable infanterie* administrative, qui repoussait farouchement les assauts, devient toute grâce et tout sourire : du jour au lendemain, ses adversaires si longtemps tenus pour quantité négligeable sont entendus. On reçoit ces gêneurs, on les entend et même on les écoute. La fin de leur cauchemar est si soudaine que, devant ce retour imprévu des choses d'ici-bas, ils croient encore rêver...

Pour jouer son rôle d'arbitre, il importe, toutefois, que le chef de l'État garde ses distances par rapport au projet litigieux. Ou, du moins, s'il lui a donné son accord, il ne doit pas l'avoir fait sien. En effet, s'il en revendique la paternité, l'épreuve de force n'oppose plus le citoyen et les pouvoirs, avec le président pour arbitre, mais le citoyen aux pouvoirs renforcés d'un président à la fois juge et partie : les chances de faire entendre sa voix deviennent alors quasiment nulles : comment obtenir d'un président de la République qu'il se déjuge publiquement ? D'un père, qu'il abandonne ou condamne son enfant ?

Si les trois premiers présidents de la Ve République n'avaient pas gardé une certaine distance par rapport aux projets qui viennent d'être cités, jamais le général de Gaulle n'aurait pu consentir, sans perdre la face, à la conservation de plusieurs îlots du quartier des Halles. Jamais M. Pompidou, après avoir, hélas, accepté que l'on détruisît les pavillons de Baltard, n'aurait demandé qu'on en sauvât au moins un. Jamais M. Giscard d'Estaing ne serait intervenu pour préserver les abords de Saint-Eustache.

Cette distance a-t-elle été gardée par M. Mitterrand ?

Le point de départ était excellent : l'opinion sut généralement gré au chef de l'État de doubler la surface du musée du Louvre en congédiant le ministère des Finances ; de signer l'arrêt de mort des deux squares qui enlaidissaient la Cour Napoléon entre le ministère des Finances et l'entrée principale du musée ; de prescrire que cette cour soit creusée jusqu'à sept mètres de profondeur (au-delà, les eaux de la Seine imprègnent la terre) afin d'y loger les services dont le Louvre, ce « théâtre sans coulisses », a le besoin le plus pressant ; de dégager, en fouillant le sol de la Cour Carrée, les soubassements du Vieux Louvre de Philippe Auguste et de Charles V, ainsi que son fameux donjon ; d'ouvrir un second chantier de fouilles du côté du Carrousel.

Mais le pouvoir personnel sait rarement s'arrêter à temps. Le Louvre, pour toutes les raisons que l'on devine — son histoire, qui le place au premier rang des hauts lieux de la civilisation occidentale, sa destination, son environnement immédiat et lointain — aurait dû être tenu pour un lieu sacré, au-dessus d'une exploitation politique de quelque bord qu'elle vienne ; son extension n'aurait dû être qu'une entreprise professionnelle, conduite au bénéfice exclusif du public et des œuvres. Elle est devenue une affaire politique : le Grand Louvre est le plus prestigieux des chantiers du président ; la désignation de son architecte, M. Pei, est un choix personnel du président ; le président a donné son aval personnel à la construction de la pyramide de verre proposée pour la Cour Napoléon.

Devant la coalition des gros bataillons de l'administration, renforcés par la volonté expresse du président, faut-il renoncer à présenter les réserves qu'appelle ce beau projet dévié de son cours naturel ? N'est-il pas déjà trop tard pour tenter de redresser la barre ? Non.

Non, car une décision n'est jamais irréversible, tant qu'elle n'est pas inscrite dans les faits. Le chantier commence à peine. Le programme a été si hâtivement bâti, qu'on le modifie encore, de-ci, de-là, par petites touches. Il n'est donc pas encore trop tard pour en appeler, selon la vieille formule, de César mal informé à César mieux informé.

Bien que le président ait fait du Grand Louvre son affaire, cet appel sera-t-il entendu ? Pourquoi pas ? Après tout, de l'Exposition universelle de 1989 au projet de loi Savary, le gouvernement a fait surabondamment la preuve qu'il savait sacrifier son point d'honneur à une perception plus exacte de la réalité.

III

JEUX DE PRINCE

On aurait été rassuré sur l'aboutissement, dans des délais raisonnables, de la mutation historique que connaît le Louvre, si le gouvernement s'était limité à cette opération. Opération, d'ailleurs, non pas unique, mais double, puisqu'elle a pour corollaire la réinstallation du ministère des Finances à Bercy. S'il avait concentré sur ces deux projets le peu de moyens dont il dispose, on aurait été tout prêt à prendre ses intentions au sérieux. Mais, hélas ! le Grand Louvre s'inscrit dans une politique de prestige dont la démesure est la règle et la surenchère, le ressort.

Comment, en effet, ne pas être frappé par la prolifération des projets grandioses qui, d'après le compte rendu qu'en dresse le populaire *Journal du dimanche* dans son numéro du 19 août 1984, « vont donner à notre capitale un nouveau *look* ».

Le président Pompidou n'avait mis en chantier à Paris qu'un édifice culturel : celui qui porte aujourd'hui son nom.

A sa mort, son Centre se réduisait à une carcasse de fer et d'acier moulé, scellée sur le béton tout juste décoffré, des sous-sols et du parking.

M. Giscard d'Estaing, dit-on, se serait assez aisément passé de recueillir ce legs. Toujours est-il qu'il l'assuma. Il eût été, cependant, quelque peu marri, si son rôle s'était borné à écrire le mot « fin » au bas d'un ouvrage qu'il n'avait pas inspiré. Aussi résolut-il d'avoir bien à lui, tout à lui, non plus un, mais deux chantiers : le musée d'Orsay (47 000 m^2 de surface, dont 16 000 pour les expositions permanentes) et le musée des Sciences et des Techniques de La Villette (30 000 m^2 d'expositions permanentes, dans un parc aménagé de 30 hectares). Au surplus, dans la dernière année de son septennat, la France décida en accord avec dix-neuf pays du Proche et du Moyen-Orient, la construction d'un Institut du monde arabe, l'IMA, qui devait comprendre une bibliothèque et un musée de civilisation et d'art islamiques : un petit supplément, une bagatelle de 16 000 m^2.

Survient M. Mitterrand, armé de sa force tranquille : le Centre Pompidou était terminé depuis quatre ans déjà ; en revanche, aucune des trois entreprises lancées par son prédécesseur ne l'était. Il les assuma à son tour, mais n'envisagea pas un seul instant de s'en tenir là : « J'ai pris en compte bien entendu, déclarait-il le 24 septembre 1981 devant la presse assemblée, le développement du musée d'Orsay. Le développement de La Villette, le développement de La Défense seront des œuvres qui, je l'espère, marqueront l'esthétique moderne en même temps que l'urbanisme. J'ai également pris la décision, sans vouloir désobliger personne, de rendre le Louvre à sa destination (...) Nous bâtirons une cité internationale de la musique. Nous allons mettre en pratique la fondation européenne pour la culture, ce qui nécessitera aussi certaines constructions, ainsi que la maison de l'Islam. »

M. Giscard d'Estaing avait hérité d'un grand projet parisien. Il lui en avait ajouté trois.

M. Mitterrand avait hérité de ces trois derniers projets. Il en ajouta quatre sans compter la cité musicale de La Villette et la salle de rock prévue à la porte de Bagnolet et remise à un avenir meilleur :

1) l'Opéra de la Bastille : 140 000 m^2, trois salles (600 à 1 200 places ; 2 700 places ; une salle de répétitions aux dimensions de la salle principale). Coût évalué en 1984 à 2 710 millions. On annonce, il est vrai, de temps en temps que cet Opéra serait retiré de l'affiche. A l'heure où nous écrivons ces lignes, il n'a toutefois pas encore eu le sort de l'Exposition universelle de 1989.

2) La « tête de La Défense » : on sait que La Défense attend depuis bien des années sa « tête ». Elle l'a apparemment trouvée sous la forme d'un portique cubique en béton, deux fois plus haut que l'Arc de Triomphe. Ses 125 000 m^2 accueilleront le ministère de l'Urbanisme et du Logement, le secrétariat d'État à l'environnement, le carrefour international de la communication. Coût évalué à 2 milliards, dont 870 millions pour l'État.

3) Pour que le Louvre s'agrandisse, il faut que le ministère des Finances quitte la rue de Rivoli. Mais où ira-t-il ? Quai de la Râpée, dans une arche de 350 mètres de long : un premier ensemble de 150 000 m^2 à côté du palais omnisports de Bercy, un second ensemble de 42 000 m^2 sur la dalle de la gare de Lyon. Coût de l'opération évalué en 1984 à 2 900 millions, dont 2 100 pour les travaux de construction à neuf.

4) *Last, but not least,* le Grand Louvre : un sous-sol de 100 000 m^2, une adjonction de 60 000 m^2 aux 70 000 m^2 du musée actuel. Son coût est hypothétique : d'après les résultats de l'enquête à laquelle se sont récemment livrés des experts financiers, il n'est connu ni des responsables directs de l'opération ni du ministre de la Culture.

Certaines informations parues dans la presse avaient annoncé que le montant des dépenses d'investissement atteindrait 4 à 5 milliards de F, y compris le réaménagement complet du ministère des Finances, mais sans compter le jardin ni le parking (*le Nouvel Économiste* du 20 février 1984). Ce chiffre est largement supérieur à celui qu'indiquent confidentiellement les responsables du projet : 1,6 milliard de F.

Pour en savoir davantage, une question écrite a été posée en mai 1984 au ministre délégué à la Culture. Il lui a été demandé de préciser les données financières correspondant à la réalisation de ce projet et, notamment, le volume des autorisations de programme et des crédits de paiement pour les investissements, le montant des crédits de fonctionnement et le nombre d'emplois nécessaires. Il était également invité à préciser le calendrier prévisionnel des ouvertures de crédits et d'emplois.

Dans sa réponse publiée au *Journal officiel* du 3 septembre 1984, le ministre commence par citer certains chiffres — d'ailleurs, déjà connus — qui correspondent aux budgets 1983 et 1984 de l'établissement public chargé de conduire l'aménagement du Grand Louvre. Puis il avoue avec une désarmante simplicité : « S'agissant du coût global, dès que tous les éléments financiers auront été rassemblés par l'établissement public, ou dès qu'il sera possible de rendre public un chiffre prévisionnel sérieux et justifié, l'honorable parlementaire (M. Bernard Pons) en sera informé. »

On ne saurait confesser plus franchement que le projet a été lancé sans aucune estimation, fût-elle rudimentaire, de son coût global.

Cette légèreté fait peser sur le projet une grande incertitude ; elle hypothèque toute réflexion sur l'évolution des prochains budgets du ministère de la Culture : quelle part des crédits d'investissement faudra-t-il réserver pour le Grand Louvre ? Quel sera le montant des crédits de fonctionnement nécessaires pour absorber le surcoût entraîné par la réalisation du projet ?

Bien que le ministre de la Culture prodigue des assurances contraires, cette super-opération aux contours indécis compromet pour bien des années sa latitude d'action dans les autres secteurs et notamment en province.

Au demeurant, quelle désinvolture à l'égard de l'argent des contribuables ! Et quelle merveilleuse aptitude à s'affranchir, au nom de la raison (ou de la déraison) d'État, des règles que l'on impose aux autres : ainsi, la Cour des Comptes, dans son rapport de 1977 pour l'année 1975, adressait cette semonce aux programmateurs chargés par la direction des Musées de France de faire des propositions — déjà ! — pour la réorganisation du Louvre : « Aucune indication n'est fournie sur l'importance des moyens financiers qui pourraient être consacrés à la réorganisation du musée. Établis sans ces précisions, qui auraient pu être présentées sous la forme d'un ensemble d'hypothèses, les projets élaborés risquent de demeurer pour la plupart sans suite. »

Enfin, quelle confiance, en pleine crise, dans l'élasticité du budget ! Le Grand Louvre est, en effet, en bonne compagnie : même si quelques-unes de ces opérations, comme le musée du XIXe siècle, approchent de leur terme, il faut avoir la foi du charbonnier pour croire que sept entreprises simultanées ne se gêneront pas les unes les autres. Certes, lorsqu'il fit part du décès de l'Exposition universelle, le président de la République assura catégoriquement que tous les autres grands projets à caractère culturel seraient menés à leur terme. Mais que vaut cette fiche de consolation, quand le budget est serré à l'extrême ? Les recettes ne sont pas à ce point élastiques qu'elles permettent de nourrir à leur faim sept ogres concurrents. Comment le Grand Louvre ne pâtirait-il pas de cette folle surenchère : en 1970, lorsque le baromètre était encore au beau, un projet. En pleine crise, aujourd'hui, ils sont sept !

Bah ! dira-t-on, Paris, selon le vieux dicton, ne s'est pas fait en un jour. Reprocherait-on à Louis XV d'avoir ajouté à l'École militaire, aux palais de la place de la Concorde, à l'Hôtel de la Monnaie, l'édification du Panthéon ? Et pourtant, déjà à cette époque le programme arrêté par le roi était sans doute trop lourd, puisque le Panthéon, qui se nommait alors Sainte-Geneviève, commencé en 1764, ne fut achevé qu'au début de la Révolution, plus de dix ans après la mort de Soufflot... Et d'en conclure que le Grand Louvre se fera lentement peut-être, mais sûrement.

Si le Louvre était une cathédrale, et que, durant le temps de sa restauration, les fidèles puissent se répartir entre les églises des paroisses avoisinantes, il n'y aurait, en effet, pas lieu de s'inquiéter. Mais malheureusement le Louvre est unique. On ne peut le fermer. Il faut donc tant bien que mal y vivre, et la vie, qui y est déjà difficile, ne semble guère en voie d'être améliorée dans un proche avenir.

Longtemps le premier musée du monde, le Louvre est en passe de devenir le premier des musées mal tenus. Lorsque les étrangers visitent ce haut lieu, le saint des saints de notre patrimoine national, à travers lui, en lui, c'est la France qu'ils jugent. Or, que voient-ils ? Que ressentent-ils ? Comment sont-ils reçus ? Ils sont trop polis pour nous le dire en face. Mais il n'est guère difficile de lire dans leurs pensées : tous les jours de la semaine, à l'exception du mardi, des jours chômés et des jours de grève, chaque Parisien peut constater de ses propres yeux jusqu'où le Louvre est tombé.

« J'ai accompagné un écolier de neuf ans aux salles des antiquités égyptiennes du musée du Louvre, écrit une visiteuse, Mme Fontaine, dans une lettre que publie *le Monde aujourd'hui* des 1er et 2 avril 1984.

« Nous sommes arrivés à 16 heures. J'ai demandé au bureau d'information, tenu par trois personnes, l'heure de fermeture du musée. On m'a répondu : 18 h 30. Je signale en passant qu'un seul guichet de vente de tickets était ouvert, devant lequel stationnait une longue file d'attente.

« Enfin munis de nos tickets, nous avons commencé notre visite aux salles égyptiennes. A notre grande surprise, cette visite a été interrompue à 17 heures précises — et même un peu avant. J'en demandai la raison à une préposée, déjà en train de fermer les rideaux, qui me répondit sèchement : "c'est l'heure de fermeture." Je lui fis observer que cette heure n'était pas celle qui m'avait été indiquée au bureau des renseignements. "C'est écrit, vous n'aviez qu'à le lire", me répondit-elle de plus en plus hargneusement, ajoutant que seules les salles de peinture restaient ouvertes jusqu'à 18 h 30. Or ni mon écolier ni moi n'avons trouvé trace de cette inscription.

« Pour nous consoler, nous décidâmes d'aller rendre visite à la *Joconde.* Devant elle, des visiteurs munis d'écouteurs donnèrent envie à mon écolier d'entendre l'histoire de ce tableau. Sur une table, des appareils étaient à louer pour 3 francs. J'en demandai un à la préposée, assise derrière cette table. Elle me répondit : "C'est trop tard." Il était alors 17 h 15 !

« Je répète que la fermeture officielle des salles de peinture est fixée à 18 h 30...

« En repartant, nous avons croisé un certain nombre de visiteurs étrangers qui commençaient innocemment leur visite et nous avons eu honte pour le musée du Louvre. »

Cette visiteuse éconduite déplore des défaillances inadmissibles. Mais que faire avec des moyens matériels restreints, un personnel mal payé, surmené, parfois sous-qualifié ? Pour que le musée du Louvre vive tant bien que mal, on en est réduit à mettre en œuvre ce fameux *système « D »*, comme Débrouillardise, mais aussi Dégradation et Déchéance, qui permet à l'équipage de ce vaisseau croulant sous le poids de son antique splendeur d'assurer vaille que vaille la traversée, à condition que les passagers ne soient pas trop difficiles sur la qualité du service.

Si l'on voulait compléter le témoignage de cette correspondante du *Monde* par quelques petits faits vrais, il faudrait également mentionner l'état des palissades, du côté du pavillon de Flore, qui ne servent pas à des chantiers arrêtés depuis belle lurette, mais à quelques gais lurons de clochards qui y ont abrité leur lit ; les escaliers, notamment celui du pavillon de Flore, que le service du nettoyage respecte au point de ne pas y toucher ; les toilettes, rarissimes, empestées, dont les portes sont toujours ouvertes, sans doute pour signaler que le papier hygiénique y est inconnu ; la cafétéria : longues queues, maigre pitance ; les téléphones difficilement accessibles et en quantité insuffisante ; une signalisation incohérente et parcimonieuse, qui, à l'entrée du pavillon de Flore, par exemple, ne permet pas de connaître les heures d'ouverture et de fermeture des salles, ni les expositions qui s'y tiennent ; les salles, que les gardiens oublient d'allumer, lorsqu'il fait sombre. Bref, un état général attristant, une suite de manquements lamentables, qui pourraient être réparés à relativement peu de frais, à condition, bien entendu, que ces dépenses ne grèvent pas le budget de quelque 2 milliards de francs prévu pour la pyramide et son sous-sol : si grande est la distance qui sépare « les ambitions colossales et inutiles de M. Pei (de) la misère quotidienne du Louvre », ainsi que le relève M. Mazars dans un article du *Figaro* en date du 3 février 1984, intitulé « Mégalomanie ».

Il serait injuste de rendre le gouvernement actuel entièrement responsable de cette incurie et de cette misère. La direction des Musées de France elle-même n'en peut mais : que faire contre des ministres altiers qui consacrent les crédits dont ils disposent à accomplir de grandes choses, de préférence à d'indispensables, mais obscurs remaniements ? Rares sont ceux qui suivent l'exemple d'Edmond Michelet, le modeste successeur d'André Malraux : plutôt que d'illustrer son nom par des exploits mémorables, il insista pour voir l'envers du décor ; édifié par sa visite, à peine de retour sous ses lambris du Palais-Royal il prescrivit notamment de rendre décentes les infectes sentines qui, à quelques mètres en contrebas de la salle du manège, servaient de W.-C. aux gardiens.

Un peu moins d'actions spectaculaires, un peu plus d'attention accordée aux humbles choses de la vie, voilà, dans le domaine culturel, ce que l'on pouvait attendre du « changement ». Quelle déception ! Le mal n'a pas reculé, bien au contraire : dans le sillage prestigieux de l'auteur du *Musée imaginaire,* une nouvelle race de Titans s'apprête à défoncer le sol jusqu'à sept mètres de profondeur et sur 26 000 m² entre le Musée du Louvre et l'actuel ministère des Finances. Après quoi ils rassembleront leurs forces et jetteront les assises de l'indispensable pyramide, qui doit combler dans un avenir aussi proche que possible le vide insoutenable de la Cour Napoléon. Cependant, les conservateurs et le public attendent. Combien de temps devront-ils patienter, avant que ne se fassent sentir les premiers effets des améliorations qu'on leur promet ? Cinq ans ? Dix ans ? Plus de dix ans ? On ne sait. Mais, après tout, qu'importe ? Qu'est-ce que dix ou quinze ans de plus à végéter dans une Vallée de Larmes, lorsqu'on est en marche vers le Paradis ? D'ailleurs, si les salles que le public souhaite visiter continuent d'être fermées faute de gardiens, il pourra toujours se rabattre sur celle qui abrite aujourd'hui la maquette du Grand Louvre. Là, il lui sera permis de rêver tout à son aise sur les beautés de ce vaste programme, si vaste que l'on se demande à quoi l'on joue et qui l'on trompe.

A quoi l'on joue ? Une fois encore — mais à fond — au Grand Jeu du Prestige artistique.

Qui veut-on tromper ? Les conservateurs ? Passé le temps

des agaceries préliminaires et des premiers serments, ils ne sont pas si crédules. Le public ? Il commence à prendre l'habitude de juger sur le fait, plutôt que sur la mine. Les électeurs ? Peut-être. Si tant est que cette vertigineuse surenchère culturelle les détourne de la triste réalité d'un dollar au zénith, du gouffre de la dette extérieure, de l'inexorable montée du chômage, d'une crise dont ils ne voient pas la fin, alors qu'à nos frontières la reprise est amorcée.

Comment en est-on arrivé à cette perspective inquiétante : un Grand Louvre si vaste, si lourd, si coûteux que l'on ne parviendrait pas à en venir à bout dans un délai raisonnable, tandis que le Louvre actuel continuerait de stagner dans son état d'abandon ?

Pourquoi ceux-là mêmes qui ont été les premiers à applaudir la décision d'évacuer le ministère des Finances et de le remplacer par le musée du Louvre hésitent-ils soudain, se troublent et en viennent à dénoncer les débordements d'une opération dont ils approuvaient sans réticence le principe ?

La réponse est simple : on la trouvera au livre IV des *Fables* de La Fontaine dans cette *Étude de mœurs,* ce *Conte cruel : le Jardinier et son seigneur.*

« *Un amateur de jardinage* » confie au seigneur du lieu ce que nous appellerions son *problème :* un lièvre saccage le potager. Le hobereau promet son aide. A peine est-il arrivé, équipé de pied en cap, comme s'il partait pour la guerre de Trente Ans, entouré de sa meute et escorté de ses gens, que l'affaire se complique : elle se ramifie, s'enchevêtre, explose et rebondit de la plate-bande au potager, du potager à la maison et de la maison jusqu'à Mademoiselle la fille du maître de céans. Puis, quand la situation est devenue inextricable, que l'embrouillamini est à son comble, tout soudain le seigneur pique des deux, toujours suivi de sa camarilla et plante là l'infortuné jardinier. A lui de réparer les dégâts, s'il le peut.

Et le lièvre ? Il en rit encore...

« Ce sont là jeux de prince... » Jeu de prince également, ce *Grand* Louvre, où tout, en effet, est grand, à commencer par l'écart qui sépare le cours naturel qu'aurait dû suivre son aménagement, du cours forcé que lui imprime la haute protection sous laquelle il est placé.

Si, après avoir usé de son pouvoir régalien pour décider le départ du ministère des Finances, le président de la République avait gardé la même réserve que le président Pompidou, après que celui-ci eut lancé le Centre Beaubourg, quelles conséquences son abstention aurait-elle eues sur la suite des événements ?

Tout d'abord, il n'aurait pas été nécessaire de placer à la tête de cette opération un « homme du président ». Si le caractère composite du Centre Pompidou imposait la nomination d'un coordonnateur, qui ne fût ni un bibliothécaire, ni un muséographe, ni un musicien, ni un *designer*, il n'était nullement besoin, pour procéder à l'extension du musée du Louvre et à son raccordement au musée des Arts décoratifs, d'aller chercher une personnalité extérieure. Dans les années vingt-cinq, la mutation complète et cohérente qui a donné au Louvre sa physionomie actuelle (réserve faite de l'exécution de quelques tronçons du plan arrêté par André Malraux) a été tout naturellement confiée au directeur des Musées nationaux, Henri Verne. Pourquoi cette règle de bon sens a-t-elle été abandonnée ? Pourquoi a-t-on dressé une hiérarchie parallèle ? Ce n'est pas faire injure à l'actuel président de l'Établissement public chargé de préparer le Grand Louvre, M. Émile Biasini, que de supposer que, s'il avait été nommé en Conseil des ministres directeur des Musées de France au lieu d'occuper ses fonctions actuelles, il eût trouvé mauvais que l'on fît appel à un tiers, venu d'ailleurs, et non pas à lui, pour piloter le remaniement du premier des musées nationaux.

Une fois admis le principe d'un responsable unique — au lieu d'une nébuleuse de centres de décisions — et placé non pas à l'extérieur, mais à l'intérieur du système, dont il fallait opérer la mutation, il convenait d'organiser une véritable consultation des professionnels : qu'elle fût directe, et non par personne interposée ; nourrie de réflexions et d'expériences recueillies non seulement auprès des chefs, mais aussi de leurs subordonnés ; féconde, c'est-à-dire, sans se noyer d'emblée dans un fouillis de détails, débouchant sur un programme à la fois général et complet, où, avant d'opter pour un parti définitif, on aurait étudié sérieusement les principales hypothèses qui commandent, au seuil du XXIe siècle, l'organisation du « plus grand ensemble muséologique du monde » ; enfin, généreuse, c'est-à-dire associant aux représentants des sept principaux départements — les sept « grands », dont la place dans le futur Louvre était marquée d'avance — ceux qui présentaient des titres sérieux au soutien de leur candidature.

Au moment où l'on convie le public à admirer dans une salle de l'Orangerie les maquettes et diagrammes qui précisent, niveau par niveau, les extensions des « sept grands », comment ne pas être choqué de lire dans la revue *Musées et Collections publiques de France,* sous le titre « Inquiétudes sur le devenir de la section islamique du département des antiquités orientales du Louvre », la protestation d'un petit : « La collection islamique du musée du Louvre et celle du musée des Arts décoratifs, expose le conservateur de cette section, Mme Bernus Taylor, sont internationalement connues pour leur qualité, au même titre que les collections du Metropolitan Museum de New York, du British Museum et du Victoria and Albert Museum de Londres, ou du musée islamique de Berlin. La collection du Louvre comporte environ 6 000 objets, dont un tiers est tout à fait digne d'une présentation permanente. Nombre de ces objets, et non des moindres, sont des dons et des legs faits au musée du Louvre. Certains, souvent les plus prestigieux, comme le *baptistère de Saint Louis,* ont fait partie des collections des rois de France. Or, depuis 1976, ces collections sont intégralement conservées en réserve et ne sont sorties qu'à l'occasion d'expositions temporaires (Grand Palais, 1977, Lille, 1979, Palais de Tokyo, 1979-1980, 1981-1982, 1983-1984) qui ont toutes été appréciées par le public. »

« Le projet du Grand Louvre, poursuit la plaignante, paraissait devoir offrir enfin à l'Islam un espace pour présenter des collections, dont certaines pièces proviennent du trésor de Saint-Denis et des collections royales du XVIIe siècle. (Toutefois) jusqu'à ce jour aucune place ne semble devoir lui être faite. »

Pourquoi ? Elle avance cette explication : on compte la loger, elle et ses collections, dans l'Institut du monde arabe. Mais, sans même parler de l'insuffisance des surfaces, on voit mal comment cet Institut accueillerait des œuvres d'art qui, pour 80 % d'entre elles, n'ont rien d'arabe, puisqu'elles proviennent du monde iranien, turc ou indien.

Il ne nous appartient pas de nous prononcer sur l'opportunité d'inclure, ou non, ces collections dans le Grand Louvre. Mais n'aurait-il pas été de bonne méthode, de stricte justice et même d'élémentaire correction d'écouter non seulement les grands, mais les moyens et même les petits ? *Gaudeant bene nanti !* peuvent chanter les départements des Antiquités grecques et romaines, des Antiquités orientales, le Cabinet des dessins, les Antiquités égyptiennes, l'Union centrale des Arts décoratifs, les départements des peintures, objets d'art et sculptures, dont les surfaces progressent respectivement de 27, 47, 49, 52, 72, 75, 76 et 131 %. Quant aux autres, peut-être réussiront-ils à faire entendre leur voix et à se faire réserver une place dans ce Grand Louvre, qui, s'ils ne criaient de toute la force de leurs poumons, risquerait fort de lever l'ancre en les laissant sur le quai...

Certes, ne dramatisons pas : en France, tout finit par s'arranger et il n'y a pas d'exemple qu'un conservateur ait été jeté à la rue avec ses collections. Ainsi, dans l'état actuel de la question (mais il peut encore changer), on propose à Mme Bernus Taylor 2 000 m^2 dans l'Institut du monde arabe, mais rien pour ses réserves, ni pour la gestion des collections. Cependant aussi inconfortables que les nageurs qui, dans le chef-d'œuvre de Delacroix, s'efforcent de grimper à bord de la barque où Dante et Virgile ont pris place, d'autres laissés-pour-compte — dont l'École du Louvre ! — attendent que l'on statue au coup par coup sur leur sort.

Si l'on avait une bonne fois assis autour de la même table *tous* les principaux intéressés, on aurait été à même de conduire cette réflexion méthodique, calme et en profondeur, que le Louvre méritait, plutôt que d'échafauder un programme à géométrie variable, que l'on corrige tant bien que mal, au fur et à mesure que surgissent les obstacles inattendus, ou que l'on prend conscience d'iniquités par trop choquantes.

Ces interlocuteurs indispensables, comment les faire travailler sérieusement, s'ils ne sont pas maîtres de leur calendrier ? L'établissement d'un programme digne de ce nom exige de la continuité, un déroulement logique, donc du temps : d'abord, une conception d'ensemble ; ensuite, une programmation, c'est-à-dire la reprise détaillée, assortie de précisions quantitatives, des propositions de base ; alors, seulement, l'exécution. Si, pour respecter des échéances politiques, on précipite la conception afin de passer plus vite à l'acte, bref, si l'on *chamboule* l'ordre logique des priorités, pour l'unique raison que telle personne haut placée entend bien à une date donnée, au son de la fanfare et sous les feux croisés des médias, se faire servir sa pièce montée, concoctée toute affaire cessante, comment cette précipitation ne perturberait-elle pas la préparation du banquet ?

Pour savoir si cette réflexion d'ensemble a été, ou non, sérieusement conduite, il est un signe qui ne trompe pas : existe-t-il, ou non, un document écrit présentant des propositions précises et *complètes* sur l'aménagement du Grand Louvre ? La réponse, au moment où une maquette est présentée au public, où les architectes se penchent sur leurs calques, est « non ». Un tel document avait été élaboré pour la réalisation du Centre Pompidou. Il n'existe pas pour le Grand Louvre. Ne le méritait-il pas ?

Si le réaménagement du Louvre avait été conduit pour lui-même et non pas en fonction d'échéances politiques et électorales, on aurait rédigé cette étude. L'État-client, avant de passer commande, aurait attendu de savoir ce qu'il voulait. Or, il était encore loin de le savoir, lorsque M. Pei a été désigné, puisqu'il ne le sait pas encore tout à fait, plus d'un an après sa nomination. Cette nomination prématurée a encore ajouté à la confusion : qui conçoit quoi ? Est-ce l'État qui propose et l'architecte qui exécute ? Ou bien est-ce l'architecte qui présente ses propositions au client, qui est lui-même trop heureux de trouver en face de lui quelqu'un qui lui explique ce qu'il devrait vouloir ?

Mais quel type d'architecte convenait-il de choisir ? Ici encore, on rougit de proférer de pareilles évidences : lorsque, comme dans le cas du Louvre, les bâtiments sont déjà construits, il n'est pas nécessaire d'enrôler un bâtisseur. Un architecte spécialiste de l'aménagement des espaces intérieurs suffit. Ou bien, si l'on choisit un bâtisseur, les limites de sa tâche doivent être nettement fixées. Lorsqu'une architecte italienne, Mme Gae Aulenti, a été appelée à poursuivre la transformation de l'intérieur de la gare d'Orsay en musée du XIXe siècle, elle n'a pas inauguré sa mission en prétendant construire entre l'ancienne gare et le palais de la Légion d'honneur un signal de 30 mètres de haut !

Si l'on estimait toutefois que la Cour Napoléon exigeait l'intervention d'un architecte, comment le désigner ? Pourquoi ne pas user de la seule voie démocratique, un concours international, comme pour le plateau Beaubourg, mais ouvert aux jardiniers-paysagistes tout autant qu'aux architectes ?

Ces concours internationaux sont généralement peu appréciés des hommes politiques. On comprend pourquoi : le choix de l'architecte leur échappe. Ils s'en dessaisissent sur les membres d'un jury. Pis, il n'est que trop probable que, si l'anonymat des candidats est respecté (mais à quoi bon organiser un concours, s'il ne l'est pas ?), le jury international, au lieu de choisir des projets portant la signature d'architectes ayant pignon sur rue (Kurokawa, Moshe Sajdie, Guillaume Gillet avaient présenté en 1971 des projets pour la réalisation du Centre Pompidou), se prononcera en faveur d'un illustre inconnu, de préférence étranger. Dès lors, que d'embarras ! On aura tous les inconvénients d'un projet difficile et coûteux, sans avoir l'avantage, flatteur pour soi, rassurant pour les autres, d'avoir fait appel à un grand nom. D'un concours, surtout s'il est international, un homme politique n'escompte donc généralement que bien peu de gloire pour beaucoup d'embarras. M. Mitterrand, en choisissant M. Pei, non par la voie démocratique du concours, mais par une décision discrétionnaire, a donc pris la voie la moins périlleuse pour lui. Mais aussi la plus risquée pour Paris.

Si la politique n'avait pas dominé l'aménagement du Grand Louvre, l'organisation d'un concours aurait permis de recueillir une pleine palette de propositions sur la manière de traiter cet espace difficile qui, entre l'Arc de Triomphe du Carrousel et le pavillon Sully, termine les Champs-Élysées et les Tuileries. Le concours pour la réalisation du Centre Pompidou, en un lieu alors inconnu du public et dépourvu de tout prestige, le plateau Beaubourg, avait inspiré 681 projets venus du monde entier. Au bas de l'une des perspectives les plus célèbres du monde, l'aménagement de la Cour Napoléon en aurait suscité bien davantage.

Mais pour impressionner l'opinion, voire la prendre de court, il fallait aller vite et frapper fort. Le chef de l'État a donc jeté son dévolu sur un architecte. Celui-ci a fait une proposition. Le chef de l'État l'a agréée. Dès lors, pour les responsables du projet, la cause était entendue. Ceux-là mêmes qui considèrent qu'en politique la soumission déférente à l'homme providentiel est le mal absolu, ont fermé la bouche aux éventuels contradicteurs en brandissant l'argument d'autorité : « On ne critique par un créateur. »

Politique, quant tu nous tiens... Adieu la rigueur, la méthode, la modestie et jusqu'au bon sens. De l'audace, encore de l'audace ! Il faut relever le défi du Centre Beaubourg. Conquérir un brevet de modernité. Damer le pion au président Pompidou lui-même, en osant être futuriste dans le quadrilatère sacré du Louvre.

Or, comme dans *le Jardinier et son Seigneur*, les vrais problèmes ne sont pas résolus, s'ils ont jamais été posés. Ils ne sont qu'embrouillés. Pourtant, si l'on avait voulu mener sérieusement cette mutation, il était si simple de s'appuyer sur les gens en place, sans parachuter un « homme du président ». De consulter personnellement les principaux intéressés, tous, et non pas seulement les plus en vue ; de faire reposer principalement, sinon exclusivement, sur eux la responsabilité de la conduite collective de l'opération ; de mener la conception à son terme, en rédigeant un programme complet et approfondi ; de ne pas nommer un exécutant, avant de savoir exactement ce qu'il exécuterait ; de ne pas choisir un bâtisseur, alors qu'il n'y a rien à bâtir ; de ne pas intervertir l'ordre des priorités, en faisant passer l'aménagement intérieur après la réalisation d'une construction adventice. Il était, enfin, si démocratique et en même temps si prudent, avant d'arrêter, dans une ultime étape, si l'on construirait, ou non, au milieu de la cour du Louvre, de ne pas se limiter aux propositions d'un seul homme, quel que fût son talent, mais d'organiser un concours d'idées, afin de s'entourer du maximum d'avis.

Pour servir des fins politiques, on s'est affranchi des méthodes, vieilles comme le monde, qui avaient notamment fait leurs preuves pour le remaniement du Louvre durant l'entre-deux-guerres, ou plus récemment, pour la construction du Centre Pompidou. On a précipité la marche, afin de placer les éventuels contestataires devant le fait accompli.

Silence dans les rangs ! On ne dérange pas le jeu du Prince.

IV

LE CONTRESENS DE LA PYRAMIDE

Au milieu du XVIIe siècle, une guerre acharnée divisa les Parisiens. Le *casus belli* était grave : il s'agissait de deux sonnets. Lequel devait l'emporter, du sonnet en alexandrins que feu M. Voiture avait dédié à Uranie, ou du sonnet en octosyllabes, qui, par un parallèle furieusement hardi, comparait son auteur, Isaac Benserade, délaissé par sa belle, au pauvre Job, morfondu sur son fumier.

Le prince de Conti présidait le clan des uranistes. La fringante duchesse de Longueville, sa sœur, caracolait à la tête du parti des jobelins. Au-dessus de la mêlée une poignée de pacifistes se concertait pour solliciter l'arbitrage de Corneille.

Cependant, Paris se hérissait de barricades. On pendait le Mazarin en effigie. Louis XIV, âgé de onze ans à peine, fuyait en pleine nuit le Palais-Royal. La Fronde des nobles s'allumait, attisée par les Princes, au moment même où la paix plâtrée de Rueil éteignait celle du Parlement. En rébellion ouverte contre la Couronne, Conti, Longueville, le Grand Condé lui-même méditaient d'ouvrir la frontière aux armées du roi d'Espagne.

Tandis que la guerre civile — la vraie — menaçait la France, uranistes et jobelins faisaient mine de se pourfendre à coups de dissertations exquises...

Cette tempête dans un verre d'eau au cœur de l'ouragan, n'évoque-t-elle pas la querelle qui échauffa durant quelques semaines les Parisiens au début de 1984 : alors que le gouvernement n'en finissait pas d'annoncer qu'il entrevoyait le commencement de la fin de la crise, que l'union de la gauche se disloquait, que l'industrie fléchissait, le chômage progressait, le dollar s'envolait, de quoi débattait-on ? D'une pointe d'épingle ? Non : de la pointe d'une pyramide. Étonnante fidélité à soi-même, penseront les esprits dits sérieux, d'un peuple auquel on pourrait donner pour devise celle que Bussy-Rabutin avait composée pour sa volage maîtresse, la marquise de Montglat : *levior aura*, « plus légère que la brise ». Merveilleuse constance de l'esprit des lieux, puisque au voisinage du champ clos, la Cour Napoléon, où s'affrontaient l'hiver dernier pyramidistes et antipyramidistes, s'élevaient, il y a trois siècles et demi, l'hôtel de Rambouillet, citadelle des uranistes, et l'hôtel de Longueville, repaire des jobelins.

Il faut se garder, toutefois, des assimilations abusives : les Précieux n'avaient que des querelles de mots. Le débat sur le projet de M. Pei va plus loin. Il touche à ce qu'il est convenu d'appeler « l'image de marque » de Paris.

Jadis, on « travaillait sa réputation » ; aujourd'hui, on « soigne son image de marque ». De Napoléon, qui s'était délibérément composé sa silhouette d'une redingote grise et d'un petit chapeau, à nos hommes politiques, qui soignent leur mise et polissent leurs « petites phrases », chacun est conscient de l'importance de ces stéréotypes : ils gravent dans la conscience collective cette fameuse « image », qui se brouille aussi vite qu'elle se forme lentement : aussi tous les experts recommandent-ils de ne pas la modifier à la légère.

Bien que l'on chante à la radio « Paris sera toujours Paris », Paris, comme toutes les vedettes, est soumis à la règle commune : on ne retouche pas son image aussi impunément que l'innocent jardinier change ses oignons de tulipes dans les parterres du Carrousel à l'approche du printemps. Il a donc sans doute fallu des raisons majeures pour que, sur la proposition de M. Pei, le président de la République accepte de modifier, par l'implantation d'une pyramide de verre, l'ordonnance et l'esprit de l'un des sites les plus célèbres de la capitale, bref, pour qu'il décide que Paris porterait désormais, monté en clip sur le revers de son plus bel habit d'apparat, un diamant synthétique, que l'on a comparé avec une cruelle malice à un bijou Burma.

Mais quelles sont ces raisons ?

Peut-être une revue des diverses déclarations qu'a suscitées ce projet permettra-t-elle de les découvrir ?

Il n'y a pas eu, on l'a dit, de concours pour la désignation de l'architecte du Grand Louvre. Mais, a posteriori, une consultation, celle de la commission supérieure des monuments historiques et des sites.

Un article paru dans le numéro XXVI (été 1984) de la revue *Commentaire* a rendu compte de cette séance :

« Le lundi 23 janvier 1984, la commission supérieure des monuments historiques était convoquée pour se prononcer sur le "Domaine national du Louvre et des Tuileries. Projet d'aménagement dans le cadre de l'opération Grand Louvre", ainsi que sur le classement de six synagogues, de huit cinémas, des restes d'une abbaye en Haute-Saône, d'une auberge à Auvers-sur-Oise et de six maisons, hôtels ou églises. Le tout, en une matinée...

« La précipitation de l'administration à faire avaliser son "projet d'aménagement", pêle-mêle avec le tout-venant des affaires courantes, ayant été jugée excessive, la disjonction de vingt-deux des vingt-trois points de l'ordre du jour fut demandée et obtenue : la commission n'a donc délibéré que sur l'incidence de "l'opération Grand Louvre" sur le Louvre et les Tuileries. A 9 h 30 du matin, elle ne connaissait de cette "opération Grand Louvre" que le peu qu'en avait dit la presse. Trois heures plus tard, hâtivement instruite par un petit discours en anglais de l'architecte responsable de l'opération, M. Pei, traduit vaille que vaille, assorti de quelques diapositives et complété par les brefs exposés de trois rapporteurs, elle était invitée à voter : pratiquant l'un de ces amalgames, que l'actuelle majorité reprochait si vivement à certains référendums d'autrefois, les organisateurs du "débat" lui demandaient de répondre par un unique *oui*, ou un unique *non* à des questions aussi différentes que le remplacement par des jardins à la française des pelouses, parterres et boulingrins du XIXe siècle, qui bordent l'avenue du Général-Lemonnier, entre le Pont-Royal et la place des Pyramides, ou la reconstitution, de l'autre côté de cette avenue, de l'ancienne terrasse des Tuileries, moyennant un exhaussement du sol, d'une hauteur encore indéterminée, mais qui risque fort de couper, vue de l'Arc de Triomphe du Carrousel, la perspective des Champs-Élysées, et, réciproquement, vue du bassin des Tuileries celle du Louvre ; dans cet unique *oui* ou cet unique *non* était également compris le jugement que l'on portait tant sur la réduction, sinon la suppression complète, du stationnement des autocars place du Carrousel, que sur l'excavation d'un sous-sol de cent mille mètres carrés, s'étendant de l'entrée de la Cour Carrée, c'est-à-dire du pavillon Sully, à ceux de Flore et de Marsan.

« Le clou de ce projet babylonien était enfin, on le sait, l'insertion entre les pavillons Turgot, Mollien, Richelieu, Denon, Colbert et Daru (...) d'une pyramide de 20 mètres de haut et 33 mètres de côté.

« Dans la pénombre que projetaient sur les débats les incertitudes et les lacunes d'un avant-projet insuffisamment fouillé, chacun, non pas au scrutin secret, mais à voix haute, a donc fait connaître par oui ou par non son verdict sur l'ensemble de cette opération.

« Conforté par un solide bataillon de représentants de divers ministères, qu'avaient dépêchés leurs supérieurs hiérarchiques, afin de siéger en tant que membres de droit pour la première et sans doute la dernière fois de leur vie au sein de cette commission, dont ils s'étaient soudain, mais fort à propos, rappelé l'existence, les partisans du *oui* opposaient ici leurs certitudes, là, leurs préférences hésitantes, parfois la prudence de leurs intérêts bien compris, ailleurs, leur discipline de vote, aux scrupules, aux réserves, voire aux refus francs et massifs de ceux aux yeux desquels ce projet était aussi inquiétant par ce qu'il montrait (la pyramide) que par ce qu'il cachait (le sous-sol), par ce qu'il affirmait (une rupture totale avec l'environnement) que par ce qu'il taisait (le programme du Grand Louvre).

« C'est alors que l'amalgame révéla ses vertus. Une majorité s'était, en effet, dégagée *contre* et non pas *pour* la pyramide, ainsi que M. Jean-Pierre Weiss, directeur du patrimoine au ministère de la Culture et président de la Commission supérieure des monuments historiques, pressé et presque mis en demeure par certains de ses membres de rectifier les informations données par les médias sur la pseudo-unanimité des suffrages, finissait par le déclarer dans un communiqué reproduit notamment dans *le Monde* du 11 février : "Une majorité (s'était constituée) exprimant (...) des réserves ou des oppositions à cette construction pour des raisons diverses, tenant soit à l'histoire de la construction du Louvre, soit au choix et à l'emplacement du volume construit proposé".

« Mais comme, par ailleurs, les autres aspects du projet — pelouses, passages souterrains, sous-sol, etc. — n'avaient évidemment pas soulevé les même objections, l'administration a bravement considéré que la commission, bien qu'elle se fût en majorité déclarée opposée à l'essentiel, avait en somme approuvé le tout. »

Deux jours plus tard, le mercredi 25 janvier, le dossier était remis au président de la République. Au bout d'un peu plus de deux semaines, le *oui* présidentiel était prononcé ; le service de presse de l'Élysée diffusait ce bref communiqué : « Le président de la République, après avoir pris connaissance des propositions qui lui ont été transmises par le ministre de la Culture, a donné son accord définitif au projet du Grand Louvre présenté par l'architecte I.M. Pei. »

Ce communiqué n'était pas motivé et, d'ailleurs, n'avait pas à l'être. On ne connaît donc pas les raisons qui ont conduit le président de la République à prendre une décision opposée à celle de la Commission supérieure des monuments historiques. On a seulement appris dans un article de M. Jacques Michel paru dans *le Monde aujourd'hui* des 11 et 12 mars 1984 que « M. François Mitterrand a aimé le projet, s'est montré très positif et chaleureux et a eu ce mot bref : "très bien !" ». On sait également d'après la déclaration de M. Pei lui-même au *Matin* (6 février 1984) que « le président qui (lui) fait entièrement confiance, a demandé que cette pyramide soit un peu plus haute ». Le président s'est-il fié uniquement à son œil pour décider que la pyramide était « très bien » et serait même encore mieux, si elle était rehaussée ? S'est-il, au contraire, entouré de conseils, avant de donner son assentiment, assorti de cette prescription ? Ce point, qu'il sera intéressant d'élucider, lorsque l'on écrira l'histoire de la monarchie culturelle élective sous la Ve République, est, pour l'instant, aussi obscur que la pyramide de verre sera transparente, dit-on.

L'enthousiasme du président, en revanche, n'a pas été unanimement partagé : on pourrait opposer nombre à nombre les cris d'admiration des uns, d'indignation des autres.

Admiration : M. Pierre Quoniam, inspecteur général des Musées de France : « Un bel objet, le produit du meilleur art de bâtir de notre temps (qui) fait penser aux architectures de rêve que l'on voit sur les gravures du XVIIIe siècle. »

M. Guillaume Gillet : « Cette fontaine de glace peut nous rappeler les charmantes créations de René Lalique. La pyramide est l'épannelage d'un diamant. Faisons confiance au talent de l'architecte qui saura, en y taillant mille facettes où se refléteront la lumière et l'eau, nous donner la plus belle pierre de notre couronne. » M. Émile Biasini : « C'est un diamant ! Un objet posé au milieu de la Cour Napoléon. C'est extraordinaire ! C'est l'émergence d'un iceberg ! ».

Indignation : M. André Fermigier évoque Bouvard et Pécuchet dans la « maison des morts ». Bertrand Monnet, ancien architecte en chef des monuments historiques : « J'estime monstrueux le volume proposé pour la pyramide de la Cour Napoléon. » Henry Bernard : « Un gadget inutile ».

Entre ces dithyrambes et ces philippiques, comment trancher ? se demandera le Parisien. S'il poursuit sa revue de presse, d'autres avis retiendront son attention : ils émanent de personnalités plus autorisées encore, car elles ont toutes voix au chapitre : le maire de Paris, les conservateurs en chef du musée du Louvre, un professeur au Collège de France, membre de la commisson du Grand Louvre, enfin le directeur des Musées de France en personne.

Aucun journaliste n'a été témoin de l'entretien de M. Chirac et de M. Pei. Le maire de Paris s'est-il borné à manifester l'intérêt courtois qui est de rigueur, lorsque l'on reçoit un noble étranger ? A-t-il été plus loin ? A-t-il approuvé le projet ? Si oui, en quels termes ? Catégoriquement ? Sous bénéfice d'inventaire ? Avec des précautions oratoires ? Des réserves de forme ou de fond ? Et si oui, lesquelles ? Chacun a interprété à sa façon ce que l'on a rapporté des propos qu'ont échangés M. Chirac et M. Pei lors d'une entrevue qui n'a eu d'autres témoins qu'une poignée de leurs collaborateurs les plus proches. D'où la déconcertante variété des titres qui rendent compte de cette audience :

Pour *le Monde* (11 février 1984) : « Grand Louvre : M. Chirac dit oui. »

Pour *le Quotidien de Paris* (10 février 1984) : « Grand Louvre : Chirac séduit, mais... »

Pour *le Matin* du même jour : « Chirac n'est pas contre la pyramide du Louvre. » Avec ce commentaire : « Séduit par le projet de restructuration des bâtiments, le maire de Paris juge “intéressante” la proposition de Ieoh Ming Pei. »

Enfin, à la même date dans *le Figaro* : Chirac : « Faut-il une pyramide ? ».

Hasardons cette conclusion : M. Chirac n'a pas formulé d'opposition de principe ; peut-être même a-t-il été, dans un premier temps, plutôt favorable à cette proposition ; mais, lors de cette prise de contact, il s'est gardé de s'engager à fond sur le projet du Grand Louvre.

Qu'en pense-t-il aujourd'hui ?

Réunis en séminaire à Arcachon à la fin du mois de janvier 1984, les conservateurs en chef des sept départements du Louvre ont été beaucoup plus loin : ils ont résolu de décerner un vibrant hommage à M. Pei pour l'ensemble de sa contribution à l'aménagement du Louvre et pour la pyramide. Certains ont pu trouver surprenant que cet hommage ait pris la forme d'un communiqué diffusé dans la presse (si d'autres conservateurs avaient entendu publier un communiqué en sens inverse, le leur aurait-on permis ? S'ils avaient passé outre, ils risquaient bel et bien de comparaître devant un conseil de discipline, pour violation du devoir de réserve qui s'impose aux fonctionnaires). Mais plus surprenante encore est la façon dont a été tourné cet éloge : « Dans le contexte du Grand Louvre, il est apparu aux conservateurs en chef, responsables des divers départements, que la pyramide de M. Pei marquant l'entrée du musée, bien loin d'être (comme elle a été parfois présentée) un gadget moderniste ou, au mieux, un "geste architectural" gratuit, est, au contraire, une proposition, hardie peut-être, mais qui participe à un projet architectural d'ensemble unanimement apprécié et accepté pour sa cohérence et sa qualité. »

Ce compliment pour le moins contourné affecte la forme d'un syllogisme :

Majeure : le projet architectural d'ensemble de M. Pei (il s'agit de l'aménagement intérieur) est unanimement accepté et apprécié pour sa cohérence et sa qualité.

Mineure : Or, la pyramide participe à ce projet.

Conclusion : Donc elle est unanimement appréciée.

En d'autres termes — et révérence parler :

La sauce est « unanimement appréciée ». Or le poisson est dans la sauce. Donc, etc.

On peut ne pas partager l'avis de M. Quoniam sur « ce bel objet, le produit du meilleur art de bâtir de notre temps », ou de M. Guillaume Gillet sur cet « épannelage d'un diamant ». Il faut convenir, toutefois, qu'ils ont eu le courage de formuler leur opinion avec une clarté et une franchise exemplaires. Il n'en va pas de même des conservateurs du Louvre. Maladresse de plume ? Ou bien tours et détours, afin de cacher, comme les fameuses motions chèvre-chou de certains congrès politiques, des divergences réelles sous une unanimité de façade ?

L'avis de M. Jacques Thuillier, professeur au Collège de France, éminent historien d'art et membre du conseil d'administration de l'établissement public du Grand Louvre, tel qu'il a été reproduit dans la presse, est plus subtilement « épannelé » encore.

1) Il considère qu'il y a une unité entre la pyramide et les bâtiments avoisinants : « Je crois à une unité entre le palais Louis XIV, l'aile du Second Empire et cette pyramide moderne sobre et rigoureuse. »

Cette déclaration surprendra même ceux que l'union de la gauche a habitués à ne pas opposer trop rigoureusement l'un et le multiple : la prétendue unité de la pierre, du fer et du verre évoque, en effet, les félicités conjugales de la carpe et du lapin. M. Pei est plus réaliste, ou plus franc, lorsqu'il déclare, dans *le Figaro* du 3 février 1984 : « Le verre se dissociera de la pierre. »

2) « A priori — remarque, toutefois, M. Thuillier — j'aimerais mieux que rien ne dérange la Cour Napoléon. » Un esprit naïf en déduirait qu'il est opposé à l'implantation de la pyramide en cet endroit. Grave erreur !

3) En effet, s'empresse-t-il d'ajouter, bien qu'il soit, en principe, peu favorable à la modification de la Cour Napoléon, « il faut bien un endroit pour pénétrer ». Il n'explique toutefois pas pourquoi cet « endroit pour pénétrer » doit obligatoirement prendre la forme d'une pyramide de 20 mètres de haut.

4) A ce point de l'exposé, on pourrait penser que la pyramide a tout au moins sa nécessité. En réalité, il appert qu'elle n'est pas si nécessaire qu'on veut bien le dire : « Le fait capital est qu'elle pourra être détruite, si elle est trop mal supportée par le public, sans que les bâtiments du Louvre en pâtissent. »

Singulier aveu ! Que penserait-on de l'enthousiasme d'un jeune marié, qui, à l'instant de prononcer son « oui », proclamerait que le divorce a du bon.

5) Enfin, ce dernier trait : « Ma grande peur était qu'il (M. Pei) touchât au Louvre. C'est exclu. »

En d'autres termes : Dieu merci ! M. Pei n'a pas touché au Louvre. Il a bien fallu, toutefois, lui concéder la part du feu. Cette part a pris la forme d'une pyramide. Or, par un nouveau coup de chance, le siège du (moindre) mal est amovible.

Rassurons-nous !

Quant au directeur des Musées de France, mieux vaut ne pas lui demander son avis sur la pyramide : il n'en a pas. Comment, d'ailleurs, pourrait-il en avoir un ? Il ne sait pas lire un plan, ou si peu : « Sur l'aspect esthétique de ce corps insolite, je réserve mon jugement, car j'ai du mal à lire les plans d'architecture. »

Après cet aveu, M. Landais rejoint le professeur Thuillier : « Je ne sais pas encore si j'aimerai cette pyramide et si elle choquera le public. Il importe que l'opération ne soit pas irréversible. » Conclusion : de même que M. Thuillier disait : « Le fait capital est qu'elle puisse être détruite, si elle est trop mal supportée par le public », M. Landais opine : « A la limite, on pourra toujours la détruire » ou, tout au moins la dissimuler, puisque, si le directeur des Musées de France ne va pas jusqu'à dire qu'il est favorable à la pyramide, il confesse, du moins, qu'il est favorable à ce qui peut la cacher : « Je suis pour les jets d'eau de haute portée qui estomperaient la pyramide. »

En somme, pour le directeur des Musées de France, cette pyramide est acceptable à deux conditions :

1) A titre principal, qu'on puisse l'enlever ;
2) Subsidiairement, qu'on puisse la voir le moins possible.

A côté d'une poignée de *oui* ou de *non* bien tranchés, que de oui, mais..., de oui, peut-être..., de oui, si..., de oui-non, d'hélas, oui... et de mon Dieu, oui ! Comment expliquer cette difficulté, cette gêne à se prononcer nettement sur une question dont les termes sont pourtant clairs : une pyramide de verre de 20 mètres de haut et 30 mètres de côté est-elle oui ou non, à sa place face à l'Arc de Triomphe du Carrousel, au milieu de la Cour Napoléon ? Hasardons quelques hypothèses.

L'histoire, tout d'abord, se répète : nous sommes dans une monarchie élective. Aujourd'hui, comme au temps des rois de droit divin, on hésite à discuter le fait du prince : ainsi que le déclare Don Diègue, à la troisième scène de l'acte I du *Cid* :

> On doit ce respect au pouvoir absolu
> De n'examiner rien, quand un roi l'a voulu.

Mais que penser, et surtout que dire, lorsque décidément il faut se prononcer ? C'est bien le cas de rouvrir notre La Fontaine et de relire la *Cour du Lion* :

> « Le prince à ses sujets étalait sa puissance.
> En son Louvre il les invita.
> Quel Louvre ! Un vrai charnier, dont l'odeur se porta
> D'abord au nez des gens. L'ours boucha sa narine ;
> Il se fût bien passé de faire cette mine :
> Sa grimace déplut : le monarque irrité
> L'envoya chez Pluton faire le dégoûté.
>
> Mais voici le renard : "or ça, lui dit le sire,
> Que veux-tu ? dis-le moi : parle sans déguiser."
> L'autre aussitôt de s'excuser,
> Alléguant un grand rhume : il ne pouvait que dire
> Sans odorat. Bref, il s'en tire. »

Ces vers sont toujours de circonstance. Lorsque le président Mitterrand marque la filiation de la monarchie à la République en remettant à M. Pei le *Journal de voyage du cavalier Bernin en France*, dans lequel Chantelou, l'ami de Poussin, raconte comment Le Bernin fut invité par Louis XIV à Paris pour achever le Louvre (et, d'ailleurs, en définitive couvert d'or et éconduit), comment du roi de France au monarque républicain, les mêmes causes ne produiraient-elles pas les mêmes effets ? Sans doute ne risque-t-on plus sa vie à juger crûment le fait du prince. Mais on compromet sa carrière, du moins pour toute la durée d'un septennat, ce qui est bien long ! Et bien inutile, puisque de toute façon la chose se fera. Aussi serait-il par trop rigoriste de blâmer les néo-renards de notre néo-royauté, si leur instinct de conservation « réactualise » la vieille morale :

« Ne soyez à la cour, si vous voulez y plaire
Ni fade adulateur, ni parleur trop sincère,
Et tâchez quelquefois de répondre en Normand. »

Cette diplomatie se pare volontiers du désir de poser au moderniste, ou, *a contrario*, de ne pas être confondu avec les béotiens, dont la postérité a raillé l'aveuglement : « Ah ! Je les reconnais bien, les "contre" ! fulmine dans *le Figaro* du 8 février 1984 un certain abbé Pierre-Édouard de Bruchard. Ce sont les mêmes qui ont sifflé Berlioz pour *la Symphonie fantastique*, Stravinski pour *le Sacre du printemps* et le jazz, cette musique de sauvages. Les mêmes encore étaient "contre" Manet, Van Gogh, Monet, Degas, Pissarro, Dufy, le Salon des Refusés, les impressionnistes et Picasso. Les mêmes ont été "scandalisés" par la Tour Eiffel, le Trocadéro, et plus récemment Beaubourg... Bref, de génération en génération, tous ceux à qui le conformisme tient lieu de goût. »

Même sans donner dans le snobisme de l'avant-garde, qui ne serait impressionné par d'aussi fâcheux précédents ? Comment ne pas éprouver quelque hésitation, avant d'affirmer qu'un homme de talent s'est trompé ? Certes, le talent n'a jamais été un brevet d'infaillibilité : on trouverait dans l'histoire de l'architecture bien des exemples de fortes personnalités, qui n'ont pas toujours su jusqu'où elles pouvaient aller trop loin : Viollet-le-Duc, quand il reconstituait un peu trop scientifiquement certains monuments, Frank Lloyd Wright, lorsqu'en construisant le musée Guggenheim il ignorait superbement les besoins et les fonctions élémentaires d'un musée, aujourd'hui M. Pei qui rompt de façon provocante avec l'environnement historique où il entend s'inscrire. N'importe : il faut un vrai courage pour affirmer en 1985 au risque d'être inculpé pour crime de lèse-génie que M. Pei pèche par outrecuidance. Mais le courage ne suffit pas : pour échapper à l'accusation assez facile, mais qui porte, de passéisme et d'obscurantisme « rétro », encore faut-il être soi-même d'un modernisme au-dessus de tout soupçon.

On compte bien peu d'hommes qui réunissent ces deux qualités, c'est-à-dire qui fassent indiscutablement partie de l'avant-garde, tout en ayant le courage de dire tout haut ce que beaucoup pensent tout bas. M. Michel Guy est de ceux-là. Le seul des neuf ministres qui se sont succédé rue de Valois depuis 1969 à être, au plus profond de lui-même, tout acquis à l'art contemporain sous ses formes les plus diverses et parfois les plus déroutantes, répond à l'accusation de *philistinisme*, que lance l'abbé avancé du *Figaro* : « J'ai la plus grande admiration pour les travaux de M. Pei. Mais si l'on regarde la Cour Napoléon, on s'aperçoit que c'est un espace architecturalement fini. Le projet est donc déplacé à cet endroit. Laissons tranquille l'architecture la plus intéressante, avec l'Opéra, du XIXe siècle. Et pourtant vous savez combien j'adore l'art moderne (...)

« Cette pyramide plaquée n'a pas de justification. Elle m'évoque les propos d'une spectatrice qui, voyant dans la mise en scène de Béjart un homme nu tournant autour de la Traviata, s'exclama : "C'est génial, mais pas indispensable" » (*le Figaro*, 8 février 1984).

Au demeurant, comment condamner les réticences du

public, alors que M. Pei lui-même a longuement hésité. De son propre aveu, il a, en effet, longtemps partagé l'opinion du sénateur-maire du Ier arrondissement, M. Caldaguès, qui condamne la « prétention d'insertion d'une architecture dans une composition historique vis-à-vis de laquelle il faut pratiquer une certaine humilité. Je récuse un état d'esprit qui consiste à affecter de penser que le Louvre est une composition inachevée et qu'il faut y apporter la dernière main ».

Écoutons, en effet, les déclarations de M. Pei à *Connaissance des Arts* : « Quand on m'a proposé de faire une proposition pour le Grand Louvre, ma réaction instinctive a été d'abord de penser que ce serait très difficile. Ce n'est qu'après avoir passé plusieurs mois à parcourir le Louvre, seul et avec quelques autres, que j'en suis venu à la conclusion qu'il fallait faire quelque chose. » Même hésitation avant de concevoir la pyramide : « Lorsque j'ai commencé à dessiner les plans et à aborder le choix de la pyramide, c'était pour moi un défi au départ, mais après de nombreuses analyses, cette solution me parut la meilleure » (*le Figaro*, 3 février 1984).

« Méfiez-vous du premier mouvement, disait Talleyrand, c'est le bon » : si l'homme de l'art a hésité deux fois, d'abord à édifier une construction, quelle qu'elle soit, ensuite à bâtir une pyramide, comment le profane n'hésiterait-il pas à son tour ? L'indécision, toutefois, ne peut durer indéfiniment. Il faut opter. Pour sortir de cette perplexité, il suffit peut-être de passer en revue les raisons que présente l'architecte lui-même au soutien de son parti.

Le premier argument de M. Pei — et, sans doute, à ses yeux, le seul déterminant — tient à la faible profondeur du sous-sol : 7 mètres. Si l'on creuse plus bas, on rencontre des couches de terrain imbibées des eaux de la Seine. Or, ces 7 mètres, sur lesquels il faut prélever les espaces nécessaires à la circulation des fluides, à l'aération et autres impedimenta, ne permettraient pas à l'architecte le plus inventif d'imaginer une forme digne d'intérêt. Un souterrain de 7 mètres de profondeur ne sera jamais une cathédrale engloutie, semblable à l'admirable crypte conçue par Pier Luigi Nervi et Pierre Wago en 1955-1956 pour la basilique de Lourdes : une ellipse de 185 mètres et de 13 mètres de haut.

M. Pei est donc à l'étroit : ainsi qu'il le relève dans l'interview qu'il a donnée à *Connaissance des Arts* (septembre 1984) : « Vous pouvez creuser la cour du Louvre sous 8 mètres de profondeur et vous n'aurez pas un espace qui ait une importance architecturale. »

On ne peut pas descendre ? Eh bien, on montera. A 20 mètres. 7 mètres vers le bas plus 20 mètres vers le haut font 27 mètres. Voilà qui commence à devenir intéressant. Avec 27 mètres, M. Pei n'est plus gêné : c'est la Cour Napoléon qui le devient.

Mais quel inconvénient si « l'importance architecturale » du sous-sol gêne la perception des monuments placés en surface, puisque, précisément, à la différence de l'architecture du « dessous », celle du « dessus » — du moins selon M. Pei — n'a aucune importance.

Au reste, M. Pei tente d'enfermer ses contradicteurs dans le dilemme suivant : ou bien une pyramide de verre de 20 mètres de haut, ou une entrée et un couloir de métro.

De même, en 1890, Antonin Proust disait à la tribune de la Chambre : ou le maintien de la Galerie des Machines devant l'École militaire, ou une forêt vierge. Mais ce « raisonnement » qui consiste à ridiculiser, ou à terroriser les contradicteurs, en affirmant qu'il n'y a qu'une solution possible — hors d'elle, point de salut ! — n'est-il pas un peu simpliste ? Que l'on organise un concours d'idées, on verra fleurir bien d'autres partis qu'une pyramide ou une bouche de métro.

M. Pei met alors en avant une autre nécessité, il faut éclairer le sous-sol : La pyramide « est une exigence fonctionnelle pour que, de l'intérieur, on voie le Louvre ».

Même remarque que précédemment : pourquoi faut-il une pyramide de 20 mètres de haut pour éclairer un sous-sol et pour qu'on voie le Louvre ?

Ou encore, M. Pei présente l'enchaînement d'idées que voici :

« L'avenir du palais du Louvre est dans le musée. Ce musée doit être le plus beau musée du monde (...). On ne peut pas l'appeler le plus grand musée de monde, s'il n'a pas une entrée principale, n'est-ce pas ? (...) Nous devons avoir un volume architectural qui fera dire aux gens : "C'est ici le Grand Louvre." » Le point de vue de M. Pei rejoint ici celui de M. Bertrand Monnet, qui, tout en s'opposant pour d'autres raisons à la pyramide, déclare au *Figaro* (13 février 1984) qu'il croit « souhaitable de marquer l'entrée du plus grand musée du monde par un signe vertical qui l'indique clairement, de jour comme de nuit, et qui présente en outre un intérêt plastique ».

L'intention est donc double : on doit aider le public à trouver l'entrée du musée ; le musée doit avoir un signal, comme une boutique a son enseigne.

Sur le premier point, M. Michel Guy répond avec bon sens : « Étant donné la dimension du Grand Louvre, il est absurde de faire une seule entrée au lieu de renforcer celles qui existent en ajoutant d'efficaces panneaux indicateurs. »

Reste le « signal » : cette plume au chapeau, cette fleur au fusil des guerres « fraîches et joyeuses », ce frontispice colorié, qui donne envie d'ouvrir le livre. Mais certains monuments ont-ils vraiment besoin, pour se signaler à l'attention des foules, d'être adornés de cette sublimation du panneau publicitaire qu'est le « signal » ? Ou bien verrons-nous fleurir des « signaux » au pied du Colisée, de l'Escurial ou du Grand Trianon ?

Enfin, pour brocher sur le tout, M. Pei déclare : « Il faut qu'il y ait des changements pour que le musée participe réellement à l'urbanisme et à la culture de Paris (...) Si rien n'est fait, la vie quittera le Louvre (...) Quand vous tentez de transformer un palais pour en faire le plus beau musée du monde, vous devez faire quelque chose (...) » Grâce à la pyramide et au rond-point d'accueil qu'elle recouvre, « le lieu devient excitant, ce sera le cœur vivant du Louvre (...) le sous-sol deviendra le cœur et la tête du Louvre ».

En lisant cette suite de déclarations révélatrices, deux vieux textes remontent à la mémoire. Le premier est de Théophile Gautier. Chargé de rédiger pour le *Paris-guide 1867* un chapitre sur le musée du Louvre, il débute ainsi : « Ce n'est qu'avec un sentiment de respectueuse appréhension que nous approchons de ce sanctuaire où, siècle par siècle, s'est déposé l'idéal de tous les peuples. Le Beau a ici son Temple et l'on peut l'y admirer dans ses manifestations les plus diverses (...) Et c'est une tâche ardue que de trouver des paroles dignes d'un tel sujet. »

Le second est tiré des *Pensées* de Pascal. Lorsqu'il oppose les trois grandeurs, la grandeur charnelle, celle des gens d'esprit et celle des saints, il dit de ces derniers : « Ils n'ont nul besoin de grandeurs charnelles et spirituelles » ; puis il ajoute avec une mordante ironie pour les grandeurs périssables : « Dieu leur suffit ».

On mesure la distance qui sépare ces deux méditations des spéculations de M. Pei. « C'est ici le Temple du Beau », s'écrie Théophile Gautier face au Louvre, et, pour un peu, transposant à l'Art ce que Pascal dit de Dieu, il ajouterait : « Ce temple du Beau me suffit. » Il ne suffit pas à M. Pei. La perspective de l'Étoile, des Champs-Elysées et des Tuileries + l'Arc de Triomphe du Carrousel + le Palais des Rois et des Empereurs + une situation unique le long de la Seine + les vestiges du Louvre du Moyen Age +

une collection innombrable d'œuvres d'art choisies parmi les plus rares, depuis la plus lointaine Antiquité jusqu'au milieu du XIXe siècle + la superbe suite des salons Second Empire du ministère des Finances + les grands décors intérieurs du Louvre historique + le musée des Arts décoratifs et le musée de la Mode, le tout exhumé, créé ou recréé, restauré, rénové, modernisé, équipé, éclairé, chauffé, et même, merveille impensable aujourd'hui, nettoyé et ouvert dans sa totalité six jours sur sept ne suffit pas. Ce ne sont là que membres disjoints, corps inertes, objets inanimés. Il faut un supplément d'âme, l'étincelle de la vie et ce supplément d'âme, cette étincelle, nous les devrons au sous-sol et à la pyramide : « le cœur et la tête » du Louvre !

Les partisans de M. Pei pourraient, il est vrai, objecter qu'un grand architecte n'est pas nécessairement le meilleur avocat de ses idées, que leur champion s'exprime mal et que son projet se recommande de meilleurs arguments.

Sans doute, diraient-ils, il y a contraste, et même, si l'on y tient, antinomie entre l'Arc de Triomphe de Percier et Fontaine (sans parler des façades Second Empire de Lefuel et de Visconti) et cette pyramide de 20 mètres de haut et 33 mètres de côté en verre de Saint-Gobain « étudié spécialement pour les ciels d'Ile-de-France, très légèrement bleuté et transparent à 70 % », dont les panneaux seraient supportés par les larges mailles quadrangulaires d'une résille métallique « qui pourrait être en titane » (*le Monde aujourd'hui*, 11 et 12 mars 1984). Mais le coup de force de l'un des plus renommés architectes contemporains n'est-il pas l'un de ces coups d'audace qui font les grandes villes, comme les ponts d'Arcole font les Bonaparte ?

A quoi tient, en effet, pourraient arguer les ingénieux défenseurs du projet, le charme singulier de Paris ? D'où vient qu'il soit comme irradié d'une électricité excitante ?

C'est que, de La Défense à Bercy et de Clichy à Montparnasse, il n'est que dissonances subtiles, judicieuses ruptures, unions apparemment mal assorties et, néanmoins, fécondes : la Tour Eiffel devant l'École militaire ; le pont Alexandre-III, ce chef d'œuvre de l'art 1900, commandant la perspective des Invalides : dressés entre deux fac-similés de temples grecs, le Palais Bourbon et la Madeleine, un obélisque égyptien ; les hautes colonnes cannelées de Perrault face aux ogives de Saint-Germain-l'Auxerrois ; enfin, hier contestés, tolérés aujourd'hui, admis et peut-être admirés demain, les tubes du Centre Pompidou aux confins des Halles et du Marais. Refuser — à quinze ans de l'an 2000 ! — ces mariages contre-nature serait d'autant plus « rétro » que, depuis la soi-disant « belle époque » des victoriens et des pompiers, le goût s'est assoupli plus encore que les mœurs. Si l'on admire les papiers collés de Braque et de Picasso, pourquoi ne pas souffrir que l'architecture ait aussi ses collages ? Comment admettre, voire apprécier la juxtaposition sur une toile d'un bout de ficelle, d'un fragment de journal et d'un carré de papier peint, mais refuser un patchwork de pierre, de fer et de verre ?

Au demeurant, remarquent nos sophistes, que de batailles, hier, sanglantes, semblent dérisoires aujourd'hui ! Les esprits s'échauffaient, vers 1895, au motif que le pont Alexandre-III, dans l'axe de l'esplanade des Invalides ainsi que l'avenue qui devait y aboutir, ne seraient pas d'équerre avec les Champs-Elysées et ne pourraient jamais l'être puisque, comme l'écrivait, vibrant d'ironie amère, Édouard Drumont dans *Mon vieux Paris*, pour qu'ils se coupent à angle droit « il faudrait détourner le cours de la Seine et transporter l'Arc de Triomphe à Chaillot ».

Aujourd'hui, la même guerre se rallume sur un nouveau front : on sait que l'axe des Tuileries diverge par rapport à celui de la Cour Carrée. La pyramide de M. Pei accuse cette divergence : Si elle est parallèle à la Cour Carrée, elle ne sera pas parallèle à l'Arc de Triomphe du Carrousel et réciproquement. Mais si, aujourd'hui, ce hiatus semble intolérable à certains délicats, demain, ne rira-t-on pas de leurs préventions, ainsi que l'on sourit du vieux Drumont et de son fétichisme de l'angle droit ?

Et de conclure benoîtement : dans une affaire de goût, qui a jamais pu arbitrer entre des préférences subjectives ? Attendons de juger sur pièces et faisons confiance à un « grand » créateur.

Cette « défense et illustration », qui débouche sur une dérobade et un blanc-seing, pourrait être aisément réfutée point par point : de ce qu'une grande ville est faite de contrastes — la façade ondulée d'une synagogue de Guimard entre Saint-Paul et Carnavalet, la maison de verre du Dr Dalsace à deux pas de l'antique rue du Dragon — elle n'en est pas pour autant une macédoine, où l'on peut précipiter toute espèce de légumes et d'ingrédients à seule fin d'en relever le goût. D'autre part, si le raccordement de deux perspectives à l'oblique n'est, en effet, pas bien gênant, il n'est pas sûr que, placées au centre de cette suite de rectangles que dessine la Cour du Louvre, deux masses d'importance comparable, l'Arc de Triomphe du Carrousel et la pyramide, posées de guingois l'une par rapport à l'autre, ne créent une dissymétrie choquante. Cette difficulté est bien réelle, puisque M. Pei, après bien d'autres, cherche à la résoudre, sans d'ailleurs trop savoir comment. Mais puisque, de toute façon, il est entendu que la présence d'un grand créateur à la tête d'un projet architectural suffit à balayer toutes les réserves du goût, de même que l'arrivée aux affaires d'un homme providentiel porte en elle la réponse à toutes les interrogations des citoyens, quittons le terrain scabreux des appréciations subjectives, pour celui, plus solide, des droits du créateur.

A entendre les défenseurs de la pyramide de M. Pei, ils sont illimités. Est-ce si sûr ?

Aucune œuvre d'art n'est rigoureusement intangible : elle peut être coupée — les auteurs dramatiques en savent quelque chose. Complétée : entre 1225 et 1230, Guillaume de Lorris écrit les 4 000 premiers vers du *Roman de la Rose* ; vers 1270, Jean Clopinel, de Meung-sur-Loire, prend le relais et compose les 18 000 vers suivants. Transposés : du clavecin au piano, de la musique classique au jazz. Parodiée : Marcel Duchamp dote la *Joconde* d'une paire de moustaches en crocs et l'intitule L.H.O.O.Q. Elle semble, toutefois, se perdre dans la nuit des temps, cette époque barbare, où Louis XIV traitait ses tableaux à peu près comme aujourd'hui une femme d'intérieur se sert d'un rouleau de papier peint de chez Nobilis : telle toile devait-elle s'insérer dans tel trumeau ? Si elle était trop grande, on la coupait. Trop petite, on lui cousait des ajouts. L'artiste s'inclinait devant le bon plaisir de Sa Majesté. Aujourd'hui, pour violation de ses droits de créateur, il ferait un procès à l'État.

Que l'auteur soit mort ou vivant, connu ou inconnu, l'État se porte, en effet, garant du respect de ses droits. Du pont du Gard à Chambord et de la Maison-Carrée à la villa Savoye, il exerce son contrôle, afin que la pensée du bâtisseur ne soit pas dénaturée. Sa protection ne s'étend pas seulement à l'édifice, mais à ses abords. Si votre maison donne sur le parvis de la cathédrale de Chartres, essayez de peindre vos volets en rose pompon : vous n'irez pas beaucoup plus loin que les premiers coups de pinceau.

Pourquoi l'État, rigoureux, voire vétilleux à l'égard des particuliers, se dispense-t-il des règles qu'il édicte ? Supposons que, mû par cet esprit de mécénat que M. Jacques Rigaud s'efforce d'inculquer aux entreprises, la Cie Saint-Gobain souhaite obtenir la concession de quelques mètres carrés de macadam sur la place de l'Opéra et traite avec un artiste pour qu'il y édifie une sphère de couleur « ciel Ile-de-France » de 20 mètres de haut : la laissera-t-on faire ? Les inspecteurs généraux et architectes des monuments historiques, l'architecte des bâtiments de France, l'architecte voyer de la ville de Paris, la commission des abords rejetteraient son projet à l'unanimité. Ne lui objecteraient-ils pas que Garnier n'avait pas prévu un tel ornement à 30 mètres de sa façade ? Sans doute. Mais pourquoi deux poids et deux mesures ? La perspective de l'avenue de l'Opéra mérite-t-elle plus de respect que celle des Champs-Élysées et des Tuileries ? Au nom de quelle mystérieuse précellence Garnier aurait-il droit à une protection que l'on refuse à Lefuel, son contemporain ?

Comme la liberté s'arrête où commence celle d'autrui, le droit moral d'un créateur trouve sa limite, lorsqu'il menace celui d'un autre créateur. Qui ne le comprendrait mieux que M. Pei ?

On sait que, pour s'adapter à la configuration d'un terrain difficile, il a habilement articulé les volumes triangulaires de l'aile est, qu'il a ajoutée à la National Gallery de Washington. Rien de plus volontariste, de plus rigoureux que cet édifice, qui lui fait honneur. Il a tout calculé, tout rythmé, du percement des baies à l'espacement des paliers de l'escalier central, afin de créer une impression de luminosité légère et d'austérité grandiose. L'environnement lui-même n'a pas été laissé au hasard : comme le fond d'une toile sert à détacher les premiers plans, pelouses, rampes et degrés ont été composés afin de s'harmoniser à l'ensemble, d'en renforcer la cohérence, d'en souligner l'effet. Mais imaginons qu'un autre grand architecte, un descendant direct d'Hector Lefuel, invité à orner l'esplanade qui sépare l'*East Wing* de l'ancien musée, projette, dans le feu de son imagination créatrice, d'édifier, face à l'entrée d'honneur savamment agencée par M. Pei, une coquine de petite pagode en bois sculpté, inspirée du pavillon de l'impératrice Eugénie, qui orne encore aujourd'hui les jardins de Bagatelle. Il est douteux que M. Pei en serait fort satisfait et qu'il s'inclinerait de bonne grâce devant les droits imprescriptibles de son vis-à-vis. Il est probable qu'il attaquerait M. Lefuel junior, M. Carter Brown, directeur de la National Gallery, l'État de Washington D.C. et peut-être même l'État américain. Il ferait valoir que son édifice pur et dur est contredit, déshonoré, bafoué par le voisinage de cette théâtreuse de *frenchified pagoda*, échappée de l'opérette d'Offenbach Ba-ta-clan. L'avocat de la partie adverse aurait beau soutenir que ce pavillon oriental, évocateur de soleil et de langueur, forme un intéressant contraste avec l'iceberg qui le domine de ses parois de glace, que sa charpente en bois ajouré garantit sa parfaite transparence, qu'il constitue un utile signal pour permettre au visiteur le plus arriéré de s'orienter et de repérer par où l'on accède aux collections, que le souterrain qu'il coiffe relierait bien tristement l'ancien et le nouveau musée, s'il ne lui apportait lumière et agrément, que cette pimpante pagode fournit à la ville de Washington matière à l'un de ces contrastes piquants, qui seuls distinguent une ville d'une agglomération, et que, d'ailleurs — argument suprême — il n'appartient pas à un petit juge de limiter la liberté d'expression d'un grand artiste, il est douteux que M. Pei se désiste, applaudisse à cet édicule et donne, avec son blanc-seing, l'accolade à son agresseur.

Ne pourrait-on, cependant, objecter que, tels ces coureurs qu'évoque Lucrèce, au deuxième chant de son *De natura rerum*.

« Inque brevi spatio mutantur saecla animantum,
Et quasi cursores vitai lampada tradunt ».

« En un court espace les générations se remplacent, et, semblables aux coureurs, se passent de main en main le flambeau de la vie », un architecte puisse être amené dans certaines circonstances à poursuivre l'œuvre d'un devancier, voire, piqué d'émulation, à la surpasser : Michel-Ange, à Saint-Pierre-de-Rome, marche sur les traces de Bramante. Sans remonter si haut, pourquoi M. Pei ne continuerait-il pas Lefuel, qui continua Visconti, qui continua Percier et Fontaine, qui continuèrent Soufflot, qui continua Gabriel, qui continua Perrault, qui continua Le Vau, qui continua Lemercier, qui continua Pierre Lescot, qui continua l'œuvre des mains inconnues qui défrichèrent le sol sur lequel furent jetées les fondations du premier Louvre ?

Si, dans la ligne de ce raisonnement, on admet que le Louvre est une Symphonie inachevée dont il reviendrait à M. Pei de composer les dernières mesures, encore faut-il, toutefois, que cette composition architecturale se termine dans le même esprit : le dernier à se saisir du flambeau ne doit pas pivoter sur les pointes et remonter en courant la colonne !

Aussi, avant de songer à apposer le sceau final à l'œuvre des siècles, sans doute n'est-il pas superflu de s'interroger sur ce qu'elle signifie.

Le Louvre : « Le plus beau paysage urbain que l'on puisse imaginer », selon Edouard Drumont, « un ensemble de lignes harmonieuses et en même temps une vision d'histoire évocatrice de pensées ». Voilà qui est bien vu et bien dit. Mais le Louvre est beaucoup plus encore : mieux qu'un monument-souvenir, un monument-symbole.

Un exemple emprunté aux États-Unis illustre ce qui sépare ces deux types de monuments : bien que leur histoire ne soit pas encore très ancienne, les Américains sont riches en monuments-souvenirs. Mais combien ont-ils de monuments-symboles ? Fort peu. La Maison-Blanche est de ceux-là : restreinte, presque effacée, reléguée dans une voie latérale, qui donne au bas du *Mall*, cette antithèse des palais royaux de la Vieille Europe, la Hofburg, l'Escurial, Buckingham Palace, le Hradschin, Versailles, exprime dans un langage accessible à tous les citoyens de la libre Amérique l'un des principes de leur organisation politique et sociale : la subordination de l'exécutif à la représentation nationale, qui siège au Capitole, dans un palais aux allures de cathédrale, dressé sur une éminence d'où il voit tout, où il est vu de tous.

Supposons qu'un grand maître de l'architecture s'empare de la Maison-Blanche : comme il enrichirait les pauvres ornements de cette cousine lointaine des villas de Palladio ! Comme il affinerait ou magnifierait ses proportions ! Avec quel lyrisme inspiré il ferait chanter ses surfaces et retentir ses volumes ! Il saurait bien la transfigurer, faire craquer son enveloppe de bourgeoise massive et cossue. Au sortir de cette sublime étreinte, l'Amérique compterait peut-être un beau monument de plus, ce qui, en soi, n'est pas à dédaigner, mais elle aurait perdu au change, car l'un de ses plus grands symboles aurait vécu.

De même, le Louvre n'est pas seulement un chapitre de notre histoire, il en est l'un des symboles. Aussi ne doit-on pas le modifier inconsidérément.

Bien que la destruction des Tuileries, qui ouvrit sur la perspective de l'Arc de Triomphe une suite de palais conçus pour se refermer sur eux-mêmes, ait affaibli, sans toutefois l'altérer, le sens de ce symbole, puisque aujourd'hui le regard, effleurant les façades bâties sous l'Empire, plonge à l'est vers la Cour Carrée, alors que, sous Napoléon III, il était attiré à l'ouest vers le siège du pouvoir impérial, le Louvre, qu'on le regarde dans un sens ou dans l'autre, symbolise une idée forte : l'unité de vues du principe monarchique, ou, plus profondément encore, la constance d'un peuple que l'on dit changeant.

Pour mettre en lumière cette continuité et souligner qu'elle prenait son origine dans le Louvre royal, Visconti et Lefuel ne se sont pas bornés à aligner naïvement arceaux de pierre après arceaux de pierre, afin de raccorder le vieux Louvre aux Tuileries. Ils ont usé — autre signe de continuité — d'un procédé qui avait fait ses preuves notamment au château de Versailles.

Les trois voies qui mènent à la place d'Armes du château, l'avenue de Sceaux, l'avenue de Paris et l'avenue de Saint-Cloud, puis la première cour, dite Cour d'honneur ou Cour des Ministres, flanquée de pavillons de pierre et de brique dus à Le Vau et à Hardouin-Mansart, enfin, la seconde cour, dite Cour royale, encadrée à droite par l'aile Louis XV, remaniée par Gabriel au XVIIIe siècle, et, sur la gauche, par la vieille aile en brique et pierre que termine un pavillon néo-classique, ont été disposées de telle sorte que, par le jeu de décrochements successifs, les regards convergent vers un seul et même espace, initialement surélevé comme une estrade, la Cour de Marbre, et, à l'intérieur de ce rectangle étroit, vers un unique point focal, les fenêtres de la chambre du Roi.

De même que, si l'on se place, côté jardin, au centre de la galerie des Glaces, sous le cartouche qui porte la mention du haut fait le plus notable de Louis XIV aux yeux de ses contemporains (« le Roy gouverne par lui-même »), rien n'empêche le regard de se perdre dans l'infini, de même tout l'effet serait manqué côté cour, si l'on interposait un écran entre la grille d'honneur et le fond de la Cour de Marbre. Le vide est l'effet recherché : une fois franchi le seuil de cette nef en plein air, tout doit diriger les yeux du sujet, ou plutôt du fidèle, vers le tabernacle où repose son roi.

Il en va de même du Louvre. Certes, l'effet de convergence de la Cour Napoléon, qui n'est ni exhaussée, ni étroite comme la Cour de Marbre, ni placée dans l'axe des Tuileries, ni habitée par le souvenir d'une grande présence et qui, en outre, est perçue à travers le double flot de voitures qui circulent transversalement d'un guichet à l'autre, n'emprisonne pas le regard aussi puissamment que le resserrement des bâtiments de Versailles. L'ordonnance des pavillons en retrait les uns par rapport aux autres n'en a pas moins été conçue pour capter l'attention et la diriger vers le fond de la Cour Napoléon.

Là, le visiteur sensible aux *visions d'histoire évocatrice de pensées* trouve non pas une présence, comme à Versailles, mais une leçon. La continuité de la France s'y affirme dans deux inscriptions en lettres d'or, enfermées dans des cartouches :

1541 François Ier commence le Louvre.
1564 Catherine de Médicis commence les Tuileries.
et
1852-1857 Napoléon III réunit les Tuileries au Louvre.

Pourquoi les princes qui nous gouvernent et qui — nous ne leur ferons pas l'injure d'en douter — veulent sincèrement à la fois la grandeur et le bonheur de leur pays, savent-ils si rarement s'arrêter à temps ? Pourquoi prodiguent-ils indistinctement le meilleur et le pire ?

Le meilleur, car l'émouvante exhumation de la base du donjon de Philippe Auguste ajoute un maillon à cette chaîne qui, lorsqu'on la remonte, conduit presque jusqu'aux origines de notre histoire. Mais aussi le pire, car le projet du Grand Louvre allonge la chaîne symbolique non seulement vers le passé, mais vers l'avenir. Or, il ne suffit pas d'y ajouter n'importe quel maillon et de le sceller n'importe où, pour s'inscrire dans le droit fil de la tradition des empereurs et des rois.

Certes, déjà la IIIe République entendait faire converger les regards, non plus sur les ruines des Tuileries, ni sur la Cour Carrée, encore moins sur la proclamation de la continuité de la monarchie et de l'Empire, mais sur elle-même, personnifiée par le plus populaire de ses fondateurs, Léon Gambetta. Toutefois ce monument indigeste, par sa seule implantation en avant de la Cour Napoléon, s'interposait entre le spectateur et le spectacle qui lui était destiné : il empêchait le regard d'accéder au point où il devait être naturellement conduit.

Comme cette pièce montée ou comme, à Versailles, la statue de Louis XIV, maladroitement interposée par Louis-Philippe entre la grille d'honneur et la cour de Marbre, mais avec la circonstance aggravante de l'encombrement de sa masse, que l'on prétend, selon les besoins de la cause, transparente comme une vitre et réfléchissante comme un miroir, la pyramide de M. Pei contredit la logique des lieux dans lesquels elle s'inscrit. Qui pis est, à la différence de cette statue et de ce monument, elle n'en respecte pas l'esprit.

Une statue de Louis XIV à Versailles, quoi de plus naturel ? Gambetta, dans la cour du Louvre ? Si la stèle sur laquelle on l'avait juché, l'exhaussait sans le grandir, sa présence, en soi, n'était pas déplacée au milieu des symboles de la continuité nationale. Il incarnait l'Idée républicaine, la défense de la patrie, ou, ainsi qu'on le disait alors, « la France, quand même ! ». Mais la pyramide de M. Pei, de quel symbole est-elle l'expression ?

« Oui ! confesse-t-elle, dans sa transparente franchise, nous sommes nue et nous sommes vide. Nous nous réclamons de la plus haute tradition nationale. Nous souhaitons nous y insérer. Mais, alors que chacun de nos prédécesseurs s'efforçait d'adapter son style pour poursuivre cette tradition dans l'unité, délibérément, nous nous plaçons à contre-courant. Les édifices de nos devanciers avaient un contenu. Ne nous en demandez pas tant. Nos visées sont plus modestes : 2 500 000 visiteurs trouvaient bon an mal an sans nous l'entrée du Louvre. Nous nous proposons de la leur désigner. Par ailleurs, nous couvrons un sous-sol. Nous abritons des vestiaires, des salles de conférence, une billetterie, plusieurs cafétérias et restaurants, des tourniquets de cartes postales, des vitrines d'objets en fac-similé, des toilettes. Nous brillons de jour comme de nuit. Mais, si haut que s'élève dans les airs l'érection de notre pointe, les monuments du passé nous dominent de leur indifférente majesté. »

A contresens, à contretemps sur cette voie sacrée où se déroule l'histoire de la France, de la muraille de Philippe Auguste à cette autre *colline inspirée* que peuplent les symboles de notre gloire militaire, la tombe du soldat inconnu, la *Marseillaise* de Rude, l'Arc de Triomphe, que vient faire, égarée au milieu de tant d'imposants témoins, la frivole pyramide en faux cristal de M. Pei ?

V

LA MAQUETTE « IMPOSSIBLE »

Comme en 1967, pour sauver les rues qui avoisinent Saint-Merry, en 1970, pour arracher un pavillon de Baltard aux bulldozers, ou en 1974, pour préserver les abords de Saint-Eustache, les associations se sont mises en campagne. Elles se sont concertées. Elles ont bâti une argumentation solide. Puis, dans les premiers jours de février 1984, elles ont résumé leur thèse dans une lettre fort polie qu'elles ont adressée à M. Jack Lang, ministre de la Culture.

Voici cette lettre. Elle est signée de sept associations nationales de défense de l'environnement : la Demeure historique, l'Association pour la protection des villes d'art, Espaces pour demain, la Ligue urbaine et rurale, les Maisons paysannes de France, les Vieilles maisons françaises, la Société pour la protection des paysages et de l'esthétique de la France.

« Monsieur le Ministre,

« Si les associations nationales soussignées ne peuvent qu'être favorables au projet du Grand Louvre, elles tiennent en revanche à exprimer leur hostilité à la plus apparente des modalités architecturales de ce projet.

« La grande pyramide de Gizeh atteint sans doute à la perfection de la forme. Superbe dans la nudité du désert, elle deviendrait incongrue dans un site auquel il n'est plus possible d'apporter de retouches importantes tant il est saturé d'architecture et d'histoire.

« Par son style comme par ses matériaux, une pyramide

de verre et de métal, dont l'entretien poserait d'ailleurs de redoutables problèmes, jurerait avec tout ce qui l'entourerait.

« Dans un environnement marqué par une politique de continuité architecturale, elle afficherait une volonté de rupture. Ce serait un bien mauvais service à rendre à l'architecture contemporaine, si souvent injustement critiquée, que de donner raison à ceux qui prétendent qu'elle se caractérise par un refus de l'histoire.

« En formulant l'espoir que ne sera pas ignorée, au moment des décisions, la large fraction de l'opinion que représentent nos associations, nous vous prions d'agréer, monsieur le Ministre, les assurances de notre haute considération. »

Le miracle d'une réponse favorable n'est pas à exclure. Toutefois, comme celle-ci se fait attendre depuis près d'un an, quelques personnes pressées en sont venues à penser que le ministre de la Culture n'avait pas accueilli dans un large esprit de « dialogue » et de « participation » la sollicitation dont il avait été l'objet. Elles en ont déduit qu'en cette circonstance comme en bien d'autres, le ministère de la Culture n'était que l'annexe de l'Élysée et la rue de Valois, une voie secondaire, qui dessert le numéro 55 de la rue du Faubourg-Saint-Honoré.

S'adresser directement à l'Élysée présenterait, toutefois, des risques certains pour un résultat aléatoire : un chef d'État qui s'est engagé personnellement et à fond dans un projet répugne à arbitrer contre lui-même, ainsi que le remarquait M. Mitterrand, lorsqu'il dénonçait l'hypertrophie de l'ego présidentiel dans *le Coup d'État permanent*. Aussi, plutôt que de faire une incursion dans le domaine culturel réservé et d'attaquer de front la pyramide de M. Pei, certains architectes, appuyés par la majorité des membres de la Commission supérieure des monuments historiques et des sites, ont considéré qu'il serait sans doute plus prudent, et d'ailleurs plus convenable à l'égard de M. Pei, leur collègue étranger, académicien de surcroît, de lui reconnaître le droit à l'erreur et de faire l'essai de sa proposition : pour un prix modique, l'édification dans la Cour Napoléon d'une maquette aux dimensions exactes de la pyramide présenterait, selon eux, le triple avantage d'éclairer la controverse, de ménager les susceptibilités des puissances établies et d'épargner les deniers de l'État. Si l'on doit être un jour contraint, ainsi que le suggéraient un professeur au Collège de France et le directeur des Musées, de détruire un monument édifié à grands frais, parce qu'il ne plaît pas à l'opinion, une expérimentation préalable n'est peut-être pas superflue.

Les Parisiens, en outre, jusqu'à présent, n'ont pas été consultés. Comment pourraient-ils se faire une opinion au simple vu de diagrammes, de photos-montages et de maquettes (croquis 1 et 2), qui réduisent une pyramide haute comme un immeuble de cinq étages, plus haute même que le Parthénon aux dimensions d'une bague de poupée ? Il n'est que temps d'engager, à la lumière d'une simulation en vraie grandeur, une large consultation sur le bien-fondé de la décision de principe que le président de la République a prise dans le plein exercice de son pouvoir régalien.

Les partisans de cet essai loyal ont donc adressé à l'administration leur vœu, formé au nom du bon sens, de la démocratie et de trente-cinq millions de contribuables.

L'administration n'a pas écarté leur requête. Bien au contraire, elle a pris acte des « demandes d'essais techniques (matériaux, maquettes) et d'études complémentaires » dont elle était saisie. Mais comme, par ailleurs, ses consultants — la fine fleur des architectes, historiens d'art et défenseurs du patrimoine, qui composent la Commission des monu-

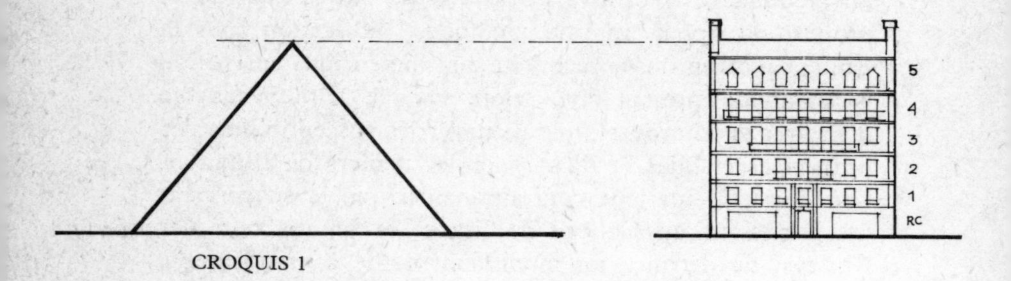

CROQUIS 1

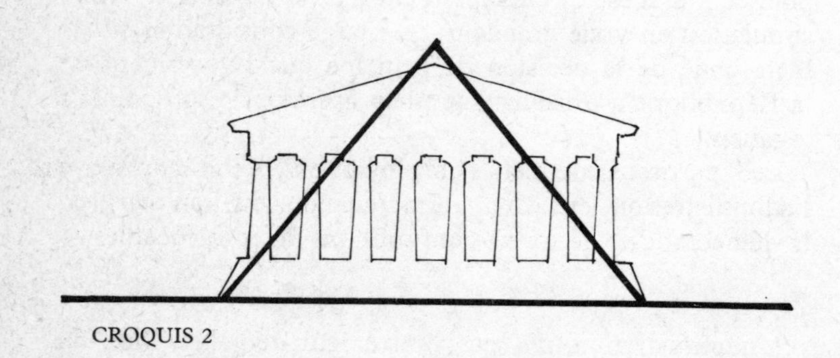
CROQUIS 2

ments historiques — lui faisaient également part de leurs « observations sur le caractère faussement ambitieux du projet d'aménagement des espaces de surface », de leurs « réticences à l'égard du projet de parking situé sous l'ancien château des Tuileries », de leurs « réactions défavorables au parti choisi pour l'aménagement du sous-sol », de leurs « critiques du projet de rétablissement des parterres de Le Nôtre, impliquant la disparition des jardins de l'Impératrice », ainsi que de « remarques défavorables exprimées au nom d'une opinion publique susceptible d'être traumatisée par une transformation aussi profonde du site », le ministre de la Culture a jugé qu'il serait discriminatoire de réserver un sort spécial à l'une de ces observations de préférence aux autres et que le seul moyen de n'en privilégier aucune était de garder le silence sur toutes.

Ce silence, toutefois, ne recouvre pas des pensées si profondes qu'on ne puisse les deviner. Il ne faut pas être grand clerc pour découvrir les raisons au nom desquelles la proposition d'une simulation de la pyramide a été implicitement rejetée par M. Pei : elle serait impossible, inutile et intempestive, de surcroît.

Impossible, pourquoi ? alors que l'élévation de maquettes en vraie grandeur jalonne l'histoire de Paris.

On peut en citer quatre exemples :

Le Panthéon — qui s'appelait à l'origine l'église Sainte-Geneviève — est né d'un vœu de Louis XV, lorsqu'il était malade à Metz en 1744. Le roi mit, à vrai dire, quelque temps à s'acquitter de sa promesse : vingt ans ! La première pierre ne fut, en effet, posée que le 6 septembre 1764. Pour cette cérémonie on édifia en charpente et en toile une maquette en vraie grandeur du futur portail de l'église, avec ses colonnes, son entablement et son fronton.

La maquette de l'Arc de Triomphe est un exemple plus significatif encore. Si Napoléon avait imposé son point de vue, l'Arc de Triomphe n'aurait pas été édifié à l'Étoile : il se serait dressé place de la Bastille, puisque la Grande Armée y débouchait après avoir traversé le faubourg Saint-Antoine, lorsqu'elle revenait de ses campagnes d'Allemagne. Le ministre de l'Intérieur, M. de Champagny, pour faire pencher la balance en faveur de l'Étoile, présenta des arguments frappants qui, pour la plupart, n'ont pas vieilli : « Un arc de triomphe à l'Étoile fermerait de la manière la plus majestueuse et la plus pittoresque le superbe point de vue que l'on a du château impérial des Tuileries... Que d'avantages dans cette position ! Le monument serait vu de très loin et ne cacherait aucun point de vue. On l'apercevrait des hauteurs de Neuilly ; on le verrait de la place de la Concorde. Il frapperait d'admiration le voyageur entrant à Paris... Il imprimerait à celui qui s'éloigne de la capitale un profond souvenir de son incomparable beauté. Regardant le palais de Votre Majesté comme le centre de Paris, ce monument serait vu du centre de la capitale. Et cependant il ferait l'entrée de la ville, véritable destination des monuments de ce genre... Votre Majesté le traverserait en se rendant à la Malmaison, à Saint-Germain, à Saint-Cloud même et à Versailles. »

L'Empereur se rendit à ces raisons : il décida que l'ancienne colline du Roule, qui aurait pu être coiffée sous Louis XV d'« un éléphant triomphal, grand kiosque à la gloire du Roi », ainsi que l'avait proposé l'ingénieur Ribart de Chamoust, ou d'un obélisque de marbre blanc, ou, sous le Directoire, d'une colonne à usage de cadran solaire, surmontée d'une horloge éclairée de nuit, serait couronnée de « l'Arc d'Austerlitz », tandis que l'Arc de Triomphe du Carrousel, dont la construction avait été prescrite cinq jours plus tôt, le 13 février 1806, commémorerait Marengo.

La première pierre de l'Arc de l'Étoile fut posée le

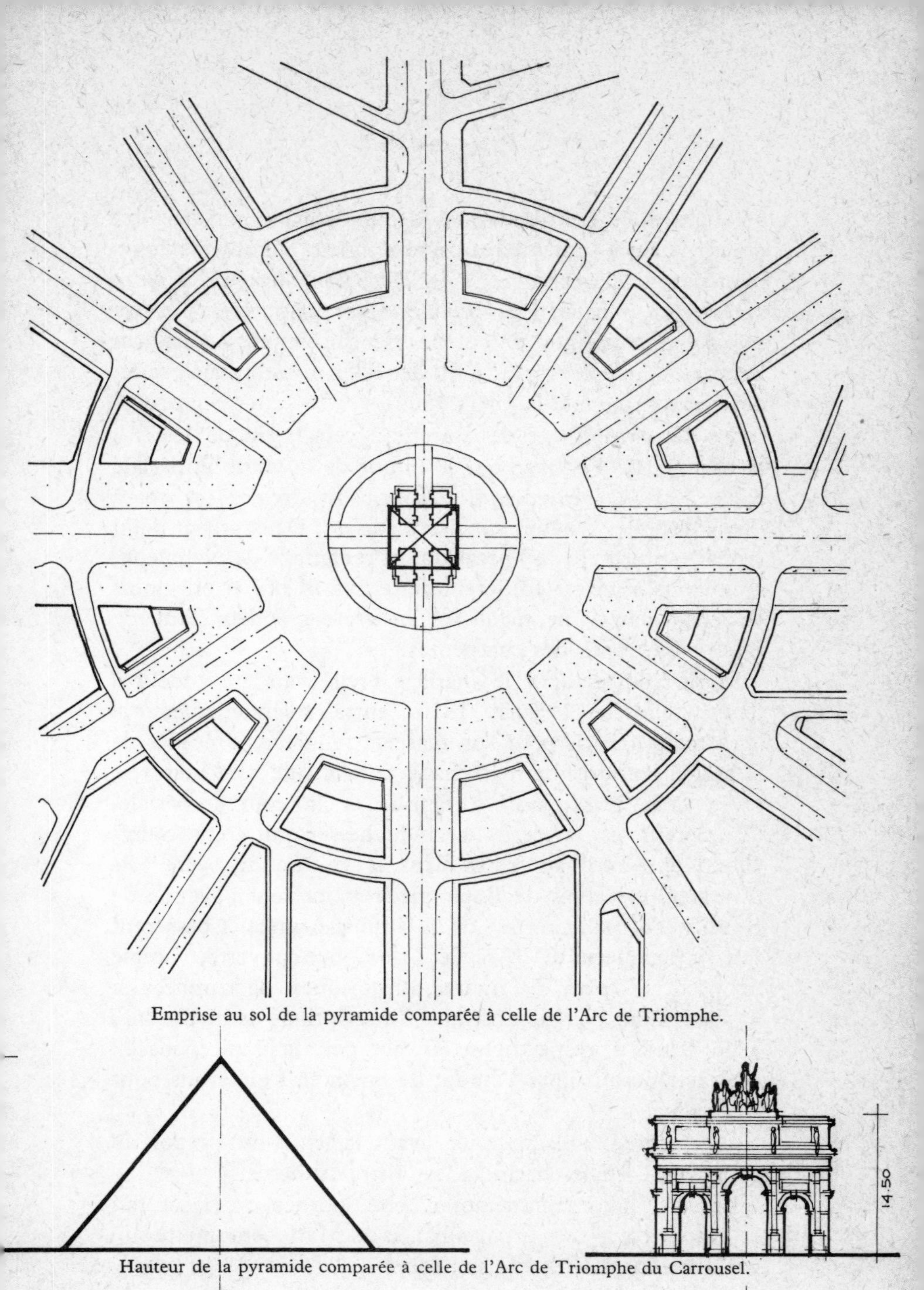

Emprise au sol de la pyramide comparée à celle de l'Arc de Triomphe.

Hauteur de la pyramide comparée à celle de l'Arc de Triomphe du Carrousel.

15 août 1806. Les fondations demandèrent deux ans : on creusa le sol à huit mètres de profondeur sur un rectangle long de 54 mètres et large de 27. Selon l'usage, les deux architectes, Chalgrin et Raymond, se disputèrent : l'Arc serait-il orné ou non de colonnes corinthiennes ? Chalgrin l'emporta. Il présenta à la fin de 1808 un nouveau projet, qui fut approuvé le 27 mars 1809.

On décida de juger de son effet : vers la fin de 1807, à la barrière de Pantin, pour le retour de la garde impériale après Eylau et Friedland, Chalgrin fit dresser un arc à l'aide de toiles tendues sur des madriers. Deux ans et demi après ce prototype, à l'occasion du remariage de Napoléon, cinq cents ouvriers édifièrent cette fois *in situ* et en moins de vingt jours une maquette en vraie grandeur faite de toiles clouées sur des charpentes.

Marie-Louise, dont le mariage civil avait été conclu à Saint-Cloud le 1er avril 1810, entra solennellement le lendemain à Paris pour son mariage religieux. Précédés de la garde, entourés de maréchaux et suivis de cent voitures, où avaient pris place la famille et la cour impériale, l'Empereur et sa petite archiduchesse quittèrent Saint-Cloud le 2 avril au matin dans la voiture du sacre : ils traversèrent le bois de Boulogne, remontèrent l'avenue de Neuilly (l'actuelle avenue de la Grande-Armée) et passèrent sous la maquette de l'Arc de Triomphe, couverte, comme un décor d'Opéra, de figures allégoriques, de trophées et de médaillons peints, ainsi que d'inscriptions de bienvenue, débordantes de respectueuse effusion pour la jeune épousée : « Nous l'aimons pour l'amour de lui, nous l'aimerons pour elle-même. »

Ou encore, cette évocation avant la lettre du « repos du guerrier » : « Elle charmera les loisirs du héros. »

Le soir, pour commémorer cette journée qui avait fait de Napoléon le neveu par alliance de Marie-Antoinette, un feu d'artifice éclaira « le simulacre ».

La maquette « impossible »

Une troisième maquette, bien connue des amis de Gavroche, est celle de l'éléphant de la Bastille.

Le 9 mai 1806, Napoléon écrit de Saint-Cloud à son ministre de l'Intérieur, : « Monsieur Champagny, après toutes les difficultés qu'il y a à placer l'Arc de Triomphe sur la place de la Bastille, je conviens qu'il soit placé du côté de la grille de Chaillot, à l'Étoile, sauf à remplacer l'Arc de Triomphe sur la place de la Bastille par une belle fontaine, pareille à celle qu'on établit sur la place de la Concorde. » La fontaine devait figurer un éléphant « colossal représentant de la noble et puissante union des Français ».

De Madrid, le 21 décembre 1808, Napoléon demande à son ministre de l'Intérieur des nouvelles de son éléphant. Par décret du 8 février 1810, il prescrit qu'il sera coulé en bronze : « Il sera élevé sur la place de la Bastille une fontaine de la forme d'un éléphant de bronze, fondu avec les canons pris sur les Espagnols insurgés ; cet éléphant sera chargé d'une tour et sera tel que s'en servaient les Anciens ; l'eau jaillira de sa trompe. Les mesures seront prises de manière que cet éléphant soit terminé et découvert au plus tard le 2 décembre 1811, c'est-à-dire pour le sixième anniversaire d'Austerlitz. » Par décret du 24 février 1811, il lui affecte le bronze des canons pris durant la campagne de Friedland. En 1813, il le dote du bronze des canons de la campagne d'Allemagne.

Quel effet produira cet éléphant de 14,63 mètres de haut sur près de 16 mètres de long au milieu de son bassin de 53 mètres de diamètre ? Son architecte Alavoine, assisté du sculpteur animalier Bridan, qui a pris pour modèle un éléphant d'Afrique pensionnaire au Jardin des Plantes, décide d'élever une maquette grandeur nature en charpente et maçonnerie.

Le fac-similé de l'éléphant de l'Empereur se dressa de 1813 à 1846 à l'emplacement de l'entrée actuelle de la station à l'air libre du métro Bastille.

Il n'est certes pas indispensable, pour juger de l'effet d'une maquette, de la laisser en place trente-trois ans. Toutefois, lorsque le 19 juin 1846 la démolition de l'éléphant fut prescrite, Paris n'eut pas à regretter sa circonspection : il fit bien de bâtir ce modèle, plutôt que de couler dans le bronze, séance tenante, la vision que caressait l'Empereur.

Sous le Second Empire, enfin, l'érection d'une quatrième maquette en vraie grandeur place du Trône dissuada la municipalité parisienne de donner suite à un projet d'Arc de Triomphe que proposait Baltard.

Inauguré par Napoléon III le 7 décembre 1862, l'actuel boulevard Voltaire s'appelait le boulevard du Prince-Eugène. Sur la place qui portait également le nom du frère de la reine Hortense (aujourd'hui, celui de Léon Blum) se dressait une première maquette qui le représentait, appuyé d'une main sur son sabre et, de l'autre, froissant la lettre par laquelle on lui proposait une couronne, à la condition qu'il abandonnât l'empereur et son empire en perdition.

Sur la place du Trône s'élevait la maquette de la décoration proposée par Baltard : une colonnade dessinait un portique circulaire autour d'un arc triomphal, qui s'inspirait de l'Arc de Triomphe du Carrousel, lui-même imité de celui de Septime Sévère, à Rome. Le modèle ne plut pas ; le projet fut donc abandonné.

Ainsi, quatre fois de suite, avant de bâtir « en dur » un monument destiné à orner un grand site de Paris, les autorités, grâce à des maquettes grandeur nature, se donnèrent le temps de la réflexion et permirent aux Parisiens de juger sur pièces.

« L'Empereur, auquel les grandes idées ne manquaient

guère, écrit Mme de Boigne dans ses *Mémoires,* eut celle de faire construire en toile le grand arc de l'Étoile tel qu'il existe aujourd'hui, et ce monument improvisé fit un effet surprenant. Je crois que c'est le premier exemple de cette sage pensée, adoptée maintenant, d'essayer l'effet des constructions avant de les établir définitivement. L'arc de l'Étoile obtint les suffrages qu'il méritait. »

« Cette sage pensée, adoptée maintenant... » est-elle aujourd'hui superflue ?

Quant aux procédés que l'on pourrait employer pour simuler la pyramide, ils ne seraient guère compliqués à mettre en œuvre. Ainsi, à titre de suggestion :

1) Une poutrelle à structure « triangulée », fabriquée à la demande ou, mieux encore, un mât télescopique reposant sur un engin serait dressé à la verticale de l'axe de la pyramide.

Le coût de location de l'engin reviendrait à environ 30 000 F par jour.

Le coût d'une poutrelle serait à peu près du même ordre.

2) Pour simuler les arêtes de la pyramide, quatre câbles munis de tendeurs seraient fixés au sol (par des broches, ou dans des blocs en béton) et reliés au sommet de l'axe (croquis 1).

Coût : environ 30 000 F.

3) Si l'on ne se contente pas de figurer les lignes extérieures de la pyramide, mais que l'on souhaite donner également une idée de ses « résilles », un autre système serait employé : on fabriquerait quatre triangles en tubes carrés ou ronds pour figurer les quatre faces de la pyramide. Ces tubes seraient perforés ou porteraient des anneaux,

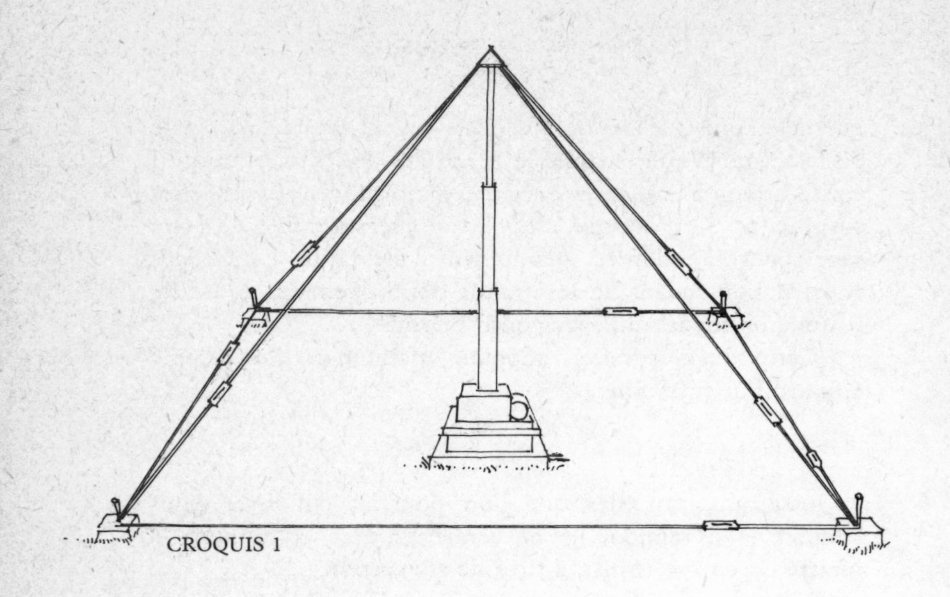
CROQUIS 1

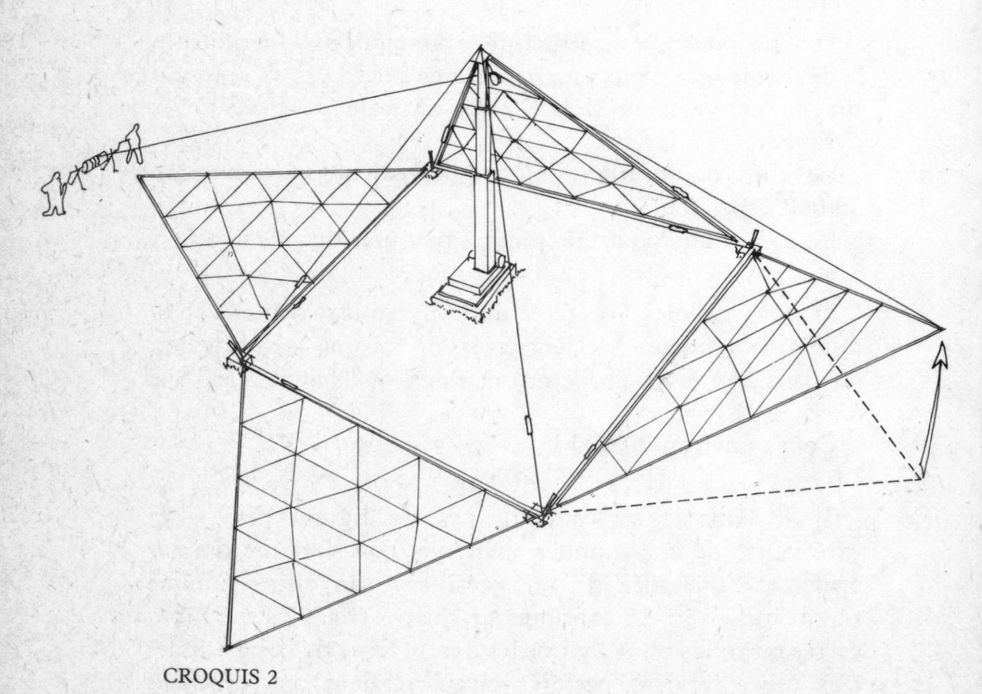
CROQUIS 2

qui permettraient de tendre des filins métalliques, dont l'entrecroisement suggérerait les résilles (croquis 2).

Chacun de ces panneaux triangulaires reviendrait à 60 000 F, soit un coût total de 240 000 F.

Disposés à plat sur le sol, comme les quatre branches d'une étoile, ils seraient progressivement relevés jusqu'à ce que leurs sommets coïncident. Une grue ou un mât télescopique assurerait la mise en place et la stabilité de l'ensemble.

La transparence de cette pyramide en filins serait plus parfaite encore que celle, tant vantée, de la future pyramide. Des échantillons du verre commandé à Saint-Gobain pourraient être placés sur les panneaux.

Pour une simulation d'une semaine, impliquant la location d'une grue ou d'un engin, le coût total pourrait être évalué à 500 000 F, soit 0,025 % du coût du sous-sol et de la pyramide, si on les évalue à 2 milliards.

Cet essai qui, d'impossible, devient possible a-t-il toutefois son utilité ? L'administration semble en douter. Pourquoi ?

La Cour Napoléon, tout d'abord, ne mériterait pas tant d'égards : a-t-on oublié les sarcasmes dont la couvrait l'éminent historien et archéologue Louis Vitet, lorsqu'il dénonçait dans *Le Louvre et le nouveau Louvre* (1853) « (les) baies immenses, (les) arcades démesurées et (les) couronnements gigantesques (de) ces énormes pavillons aux sculptures non moins énormes sous le poids desquelles ils semblent succomber ». Plus près de nous, l'ancien directeur des Musées de France, Georges Salles, bon administrateur et homme de goût s'il en fut, raillait dans *Au Louvre, scènes de la vie d'un musée* (1950) cette « bâtisse, dans son ensemble tristement monumentale, car elle fut aux trois quarts construite ou reconstruite à une époque où le pastiche tenait lieu de style et le grandiose, de majesté ». Il s'offusquait de cette « architecture composite, dont les dômes et les sculptures amoncelées évoquent sous la lune une cité d'Angkor dans les perspectives de Le Nôtre ». Homme de la modernité, comme beaucoup de ses contemporains, il ne comprenait pas l'originalité de cette grande invention du siècle précédent, l'éclectisme ; la recherche originale d'une synthèse et d'un accord des styles n'était pour lui que « pastiche ».

M. Pei lui-même n'a guère plus de considération pour la monture de pierres taillées où il enchâsse son diamant synthétique : il confie à *Connaissance des Arts* (n° 39, septembre 1984) que « ces rajouts Napoléon III manquent relativement de distinction » : « Je pense, précise-t-il dans *Libération*, que le classicisme français, en termes d'architecture, a duré quatre cents ans. Maintenant, cette période est achevée. Le classicisme académique français n'est plus à l'ordre du jour. »

On comprend les raisons pour lesquelles, au fond d'eux-mêmes, certains architectes méprisent ces « rajouts Napoléon III » : ces façades brodées et festonnées, cette prolifération d'ornements, cette composition ascensionnelle, où s'étagent les massives cheminées, qui se superposent aux frontons, que couronnent les sculptures arborescentes de mansardes plaquées comme des orgues au faîte de l'édifice, le pillage de la Renaissance — ce « temps retrouvé » — combiné à l'optimisme luxuriant de l'ère de la vapeur (on ne compte pas moins de quatre locomotives joyeusement associées, ici et là, aux attributs mythologiques), ce grand spectacle architectural qui est aussi de l'architecture à grand spectacle, voilà bien tout ce qu'ont rejeté, de Le Corbusier à Mies van der Rohe, ceux qui professent avec Adolf Loos que « l'ornement est un crime » et pratiquent les vertus spartiates d'abstinence et de rigueur professées par le

Bauhaus. Mais M. Pei lui-même est-il l'un des épigones de l'école du dépouillement ? Non. Sa pyramide est un ornement que son concepteur, avec un tempérament de sculpteur, plus que d'architecte, modèle amoureusement. Au premier regard, cette performance étonne et séduit. Au deuxième, elle indiffère. Au troisième, elle lassera. Les formes sans nécessité profonde, qui ne naissent que du pur plaisir de leur créateur, vivent peu.

Le coup de force de la pyramide rencontre d'autant moins de résistances que, durant plus d'un demi-siècle, la Cour Napoléon a stagné dans cet état de déréliction qui atteint les monuments, lorsque, comme toutes les œuvres d'art, ils subissent une éclipse : un malencontreux rideau d'arbres barrait le milieu de la scène. Devant, derrière, tout autour, la cour elle-même n'était que désolation : un débarras pour voitures de direction, un encombrement de statues et de bronzes perdus, où l'on installait à volonté des groupes, des monuments, des sculptures, aussi peu convaincants les uns que les autres. Quel édifice, quelle œuvre d'art n'a traversé à ses risques et périls le redoutable tunnel de l'indifférence posthume ? L'administration des Domaines vend en 1843 la tenture de l'*Apocalypse* au prix de la toile à sacs. On détruit Cluny et Jumièges ; on met à la casse la galerie des Machines ou, hier encore, les pavillons de Baltard. Dans cet état de perception indifférente ou méprisante, le pire peut arriver.

Cette architecture de fête, dont, par une ironie de son histoire, on redécouvre l'unité et la somptuosité, dans le bref instant où le terrain est libéré pour préparer les assises de la pyramide (de même, des troupes théâtrales ont montré le parti que l'on pouvait tirer des pavillons de Baltard, quelques mois avant qu'ils ne disparaissent), ne mérite pourtant pas d'être traitée avec condescendance. Elle n'est pas à ranger dans l'armoire aux vieilles lunes ; à l'inverse déjà, peut-être, la pyramide répond à une conception conventionnelle et académique de la modernité. Est-elle, en effet, d'avant-garde, cette pyramide de 1985 ? A l'aube du XXIe siècle, n'est-elle pas plutôt, ainsi que le suggère M. Guillaume Gillet, la petite-fille « des charmantes créations de René Lalique » ? Si elle trouve sa place dans les histoires de l'architecture, sans doute sera-t-elle analysée comme un dernier joyau des années 1925, plutôt que comme une ultime résurgence du Plan Voisin ou un arrière-goût du temps où Le Corbusier proposait de dresser au centre de Paris, tout autour du Louvre, refermé sur lui-même comme une réserve alors intouchable, un faisceau de tours plantées plus tard à La Défense.

« Que tu brilles enfin, terme pur de ma course » : ainsi commencent les *Fragments* du *Narcisse* de Valéry. Sans doute la pyramide n'est-elle pas le terme de la course de son créateur, ni même un exercice solitaire de l'ampleur de la nouvelle aile de la National Gallery de Washington, cette « grande sculpture polyédrique, aux angles vifs, aigus », dont Alain Besançon écrit avec raison, dans la revue *Commentaire* (automne 1984) : « La seule œuvre mise en valeur par ce musée est le musée lui-même. » Toutefois, il ne semble pas que M. Pei ait jamais poussé aussi loin sa recherche de « l'Art pour l'Art » que lorsqu'il a posé d'autorité ce *bibelot* géant *d'inanité sonore* au beau milieu de ce qu'il nomme dédaigneusement des « rajouts Napoléon III ».

Dans une France trop sûre de la suprématie universelle de son goût pour s'apercevoir que lentement elle se provincialise, un jour, sans doute, on reconnaîtra que, sous la coupole de l'Institut où M. Pei vient d'être reçu membre à titre étranger, il fallait dans les années 85 plus d'originalité et de courage pour tirer de leur purgatoire ces « rajouts » et prendre la défense de cette architecture décriée, que pour les considérer comme quantité négligeable au bénéfice des valeurs établies — mais déjà quelque peu périmées — de la modernité des années 30.

Si l'on admet, toutefois, que les partisans de la pyramide représentent, ainsi qu'ils le prétendent, l'architecture de l'avenir, pensent-ils vraiment que « le classicisme académique français » du Louvre, parce qu'il s'est baptisé lui-même éclectique, est un receveur universel, que toute greffe y prend, qu'aucun rejet n'est à craindre ? Ces questions, comme tant d'autres, ont été tranchées sans avoir jamais été posées. L'heure est à la coexistence pacifique : la pyramide se fera petite, petite et transparente, ô combien ! Une lame d'air, une buée cristallisée, un halo géométrique. De leur côté, loin de repousser l'intruse, les dômes feront gentiment la ronde autour de leur abstraite petite sœur. Mais attention ! Si l'on peut discuter des mérites comparés de MM. Pei, Lefuel et Visconti, chacun d'entre eux a trop de personnalité pour que l'on ne puisse craindre une mutuelle incompatibilité d'humeur. Une antithèse qui tourne à l'allergie, voilà le danger, qu'un essai en vraie grandeur permettrait de pressentir, voire d'éviter, si le risque en est trop grand.

Les adversaires de cet essai peuvent, il est vrai, faire valoir qu'il est inutile pour une autre raison : afin de déterminer exactement les dimensions de sa pyramide, M. Pei a fait appel à un ordinateur de la firme américaine *Computervision.* Or, comme le brigadier de la chanson de Nadaud, l'ordinateur a toujours raison. A quoi serviraient, par conséquent, des vérifications empiriques : la pyramide sera insérée dans la Cour Napoléon avec la précision d'un *space-lab* que l'on met sur orbite.

Que M. Pei fasse appel à Computervision pour l'aider à choisir entre la pyramide de Chéops, dite la Grande Pyramide, celles de Chéphren, de Mikérinos, ou de Ghizeh, voilà qui est son droit le plus strict : à ceux que cette méthode surprendrait, il pourrait répondre qu'une agence moderne ne travaille plus comme au bon vieux temps de Visconti, de Lefuel ou de Garnier : celui-ci, raconte Nuitter dans le *Nouvel Opéra*, avait fait dessiner *toutes* les parties du bâtiment, *toutes* les sculptures, *tous* les ornements, *tous* les profils, au centième, puis au dixième, puis à grandeur d'exécution : en 1866, c'est-à-dire au bout de six ans de travail, « on avait atteint le chiffre prodigieux de trente mille dessins grand aigle, représentant une longueur de trente-trois kilomètres ». A quoi bon les progrès de la technique, s'ils ne permettaient pas d'être plus expéditifs ? L'ordinateur modèle le galbe d'une carrosserie aérodynamique ; il trace les courbes à grand rayon des autoroutes. Pourquoi l'architecture d'aujourd'hui serait-elle seule à s'en interdire l'usage ?

Il ne faut pas, toutefois, s'exagérer l'infaillibilité de Computervision. Elle-même en fixe les limites dans un dépliant publicitaire, qui représente, sur sa couverture, la Cour Napoléon « avant », tout enchifrenée au creux de l'hiver, encombrée de ses vilains squares, et montre, quand on l'ouvre, la même « après », dessinée au trait par l'ordinateur, avec en son centre l'esquisse sublimée de la pyramide, flanquée de deux pyramidions.

Comment Computervision contribue à développer un nouveau plan pour le Louvre, tel est le titre de ce dépliant, dont le texte mérite d'être cité :

« Il s'agit du plus célèbre musée du monde. Peut-être le monument le plus important de France.

« Avec ses 13 km de salles et ses 2,7 millions de visiteurs par an, le Louvre manque d'espace pour les parkings, les restaurants, les points de vente et bien d'autres choses encore qu'attendent de nos jours les visiteurs d'un musée.

« Aussi, le gouvernement français a-t-il fait appel à un architecte de grand renom, I.M. Pei et lui a-t-il demandé une solution.

« L'agence de Pei se tourna alors vers la première

compagnie au monde pour le "design" assistée de l'informatique : Computervision.

« Selon son habitude, Pei voulait explorer tous les aspects possibles de son projet. Il voulait aussi permettre aux Français de comprendre facilement les plans qu'il projetait pour leur trésor national. Les graphiques produits par Computervision devaient, selon lui, y contribuer. (...)

« Les architectes de l'agence Pei ont utilisé le système de Computervision pour tracer avec précision la forme du dessin général (de la pyramide) et pour l'étudier sous de nombreux angles de vue.

« Au lieu de plusieurs jours, la construction d'un modèle prit seulement vingt-quatre heures, à partir du moment où l'on disposa des élévations et des plans du site. Le système permit ensuite aux architectes de se "promener" autour du modèle obtenu, qui leur offrit rapidement et aisément un nombre illimité de perspectives.

« Avec l'aide de Computervision, Pei eut la possibilité d'examiner bon nombre de formes avant d'arrêter son choix sur les dimensions classiques de la grande pyramide de Ghizeh.

« Enfin, plus importantes encore, des images du système Computervision furent utilisées pour la présentation du projet au gouvernement français à l'aide de tout un câblage très différencié de plots électrostatiques...

« Pei démontra l'impact exact de son projet. Il put même offrir aux officiels la vue sur l'extérieur que l'on aurait de l'intérieur de la pyramide. (...)

« Des systèmes tels que le nôtre ne remplacent jamais la créativité et l'originalité de l'architecte. Mais ils peuvent stimuler la créativité en donnant aux designers d'une agence une plus grande productivité : ceux-ci peuvent tirer de leurs dessins un meilleur parti en moins de temps. (...)

« Pour découvrir comment nous pouvons vous aider à créer votre prochain chef-d'œuvre, écrivez-nous : Computervision — Département 425 E. 100, Crosby Drive, Bedford, Massachusetts 01730. »

Avec objectivité et modestie, Computervision précise ses possibilités et ses limites : elle permet des gains importants de productivité ; elle stimule l'imagination des architectes. Mais ces systèmes « ne remplacent jamais la créativité et l'originalité de l'architecte ».

On pourrait ajouter qu'elle ne remplace pas davantage la possibilité de juger concrètement de l'effet d'un volume dans un espace donné.

Les clientes d'un chapelier en tomberont d'accord : elles n'auraient qu'une perception des plus approximatives de leur couvre-chef, si l'on réduisait l'essayage à la projection sur un écran de leur tête, réduite à un faisceau de lignes, et de leurs chapeaux successifs, esquissés en traits schématiques.

Une coiffure abstraite sur une face abstraite. Une pyramide abstraite dans une cour abstraite. Des formes simplifiées, des angles de vue réduits, des contrastes abolis, des rapports miniaturisés : quelle confiance il faut avoir dans la raison démonstrative pour refuser une maquette à la grandeur réelle et enfermer son jugement dans les limites de l'épure !

La construction d'une telle maquette aurait, toutefois, pour conséquence de rendre la pyramide moins aisément « vendable » au public. Voici comment :

On sait que le marketing a envahi l'administration au point que, dans les hautes sphères où se méditent tant de fécondes réformes, on ne demande pas d'un projet de loi ou de décret s'il est bon, ou mauvais, mais s'il est, ou non, « vendable ».

Or, quel est le b.a.ba de la vente ? Bombarder le client de mots-choc, l'enfermer dans un faisceau d'associations

« sécurisantes », « gratifiantes », « dynamisantes » et « valorisantes », afin d'abolir son sens critique et de lui inspirer une idée aussi haute que possible des performances de sa future acquisition et de la promotion sensationnelle qui en découlera pour lui.

Deux références ont, à cet égard, une vertu magique : le « temps jadis » et les techniques de pointe.

Quel acheteur songerait à trouver exigu le « living » de l'appartement « grand standing » qu'on lui propose, lorsque, dans l'encoignure du « coin repas », sur un bout de parquet « à la Versailles », tandis qu'une musique d'ambiance déverse les *Symphonies du Roi* de Michel Richard Delalande, une petite table dressée pour un dîner aux chandelles sur une nappe à plumetis « Trianon » le transporte à l'époque des amours fastueuses de Louis XIV et de la Montespan ?

Quant à la ménagère libérale avancée, elle serait restée au fond d'elle-même bien popote, si, dans sa kitchenette-laboratoire, au vingtième étage de son grand ensemble « Galaxy », environnée de sa rôtissoire poly-détectrice de cuisson, de son éplucheuse électronique de carottes, de sa centrifugeuse d'évier basculante et chauffante, de son séparateur hydrostatique de bouillon, elle ne se sentait pas planer dans le sillage des héros intersidéraux Luke Skywalker, le Captain Marvel, X.Or, Iron Man ou le Surfer d'argent.

Autrefois et Demain. Versailles et la NASA. Les deux sources du rêve. Les mots clefs du marketing. Les deux maîtres-mots qui font « vendre » la pyramide.

Tradition : la pyramide « est un projet français. Il est d'ailleurs dans la tradition de Le Nôtre », déclare M. Pei sans rire à *Libération* le 26 janvier 1984.

Modernisme : Computervision dessine la pyramide et Sud-Aviation la fabrique : « Les ingénieurs de l'avion

Concorde ont été consultés pour que les structures soient quasi invisibles », révèle M. Thuillier au *Figaro* le 14 février 1984.

Le Nôtre, Computervision et André Turcat : chacun y trouve son compte. Aux esprits avancés, l'électronique. Aux passéistes, la caution du Grand Siècle. La guerre des Anciens et des Modernes n'aura pas lieu.

Ils sont donc malavisés, ceux qui proposent de désengourdir le sens critique des Parisiens par une épreuve dont les résultats seraient accessibles à tous et sur lesquels chacun pourrait dire son mot. Bien au contraire, il y a tout intérêt à interposer entre le public et les officiants des mystères de l'Art, la Porte royale frappée du triple sceau :

Tradition : Le Nôtre est une valeur sûre.
Modernisme : l'ordinateur ne se trompe pas.
Création : un créateur a toujours raison.

VI

« *L'AME ET LE CŒUR DU GRAND LOUVRE* »

La programmation du sous-sol du Grand Louvre a été conduite par la Société d'études techniques et d'entreprises générales, dite SODETEG, pour le compte de l'établissement public du Grand Louvre. En application de son contrat, elle a rédigé un « pré-programme », qui serait, d'après un article de M. Pierre Mazars, paru dans *le Figaro* du 5 octobre 1984, « une mine installée comme il se doit sous la terre, qu'il faudra désamorcer au plus vite ». Aussi appelle-t-il au secours M. Haroun Tazieff « qu'aucun péril émanant du sous-sol ne laisse insensible ».

Si le commissaire à l'étude et à la prévention des risques naturels majeurs veut répondre à cet appel, il doit intervenir au plus vite : en effet, ce rapport, ou plutôt ces rapports, car ils sont à l'heure actuelle au nombre de quatre (*pré-programme*, édition définitive du 1er mars 1984, 174 pages ; *programme accueil Cour Napoléon*, 9 juillet 1984, 300 pages ; *programme accueil Cour Napoléon, éléments techniques*, 100 pages ; *programme ateliers du Louvre*, 73 pages) sont présentés comme définitifs : dès la première page du rapport qui traite de la « zone d'accueil » située dans le hall souterrain, coiffé par la pyramide et dénommé « Hall Napoléon », les programmateurs lancent, en effet, cet avertissement : « Ce document constitue le pré-programme du projet du Grand Louvre tel qu'approuvé par le président de l'établissement public, à la suite de l'examen du dossier par lui-même, la direction des Musées de France, les conservateurs du Louvre et diverses personnalités compétentes au cours de séances de travail et d'un séminaire de trois jours à Arcachon.

« Les documents présentés à l'origine ont donc été amendés en fonction des décisions prises lors de ces cessions de travail.

« Il sera précisé, mais non modifié, lors de la rédaction du programme définitif. »

Exploités à vive allure par les architectes, qui doivent déposer leur avant-projet définitif à la fin du mois de mars 1985, ces documents sont « top-secret », ainsi que le relève M. Mazars. En effet, si le programme du Centre Pompidou était aisément consultable, puisqu'il avait été tiré à plusieurs milliers d'exemplaires, non seulement à l'intention des architectes qui participaient au concours international lancé pour sa réalisation, mais de tous ceux qui s'intéressaient au projet, en revanche, les responsables du Grand Louvre ne semblent guère enclins à dissiper le rideau de fumée derrière lequel ils développent leur offensive éclair. Toutefois, peut-être parce que les rapports relatifs à l'accueil renferment quelques passages assez divertissants, il a été apparemment impossible à leurs rares destinataires de garder tout à la fois leur sérieux et le secret.

Ce n'est pas la première fois que ce genre d'étude prête à sourire : déjà, lorsque la Cour des Comptes, en 1977, avait traité du futur musée d'Orsay, son rapporteur s'était amusé à citer certains échantillons du charabia philosophico-amphigourique des hautes autorités programmatiques : « L'étude, voire la contemplation d'une œuvre d'art nécessite un espace minimum au-dessous duquel on met en cause la jubilation esthétique autant que la sécurité des œuvres » ; ou encore : « L'enveloppe architecturale devra être ouverte le plus largement possible pour faciliter la compréhension et l'appréhension immédiates des espaces et des intentions des responsables. Tout à la fois ouvert et clos, l'espace global devra signifier immédiatement le contenu qu'il renferme. »

Les programmateurs de la SODETEG ont su se garder de ce travers : ils n'ont pas enfourché Pégase pour s'élancer dans les nuées de la logomachie transcendantale. Ils sont restés sur terre, pour ne pas dire en rase-mottes.

Certes, ce pré-programme fouillé avec la minutie des chefs-d'œuvre de l'art naïf ne va pas jusqu'à prévoir des équipements spéciaux destinés aux meilleurs amis des amis du Louvre : nul plan incliné réservé à la race canine ; nul distributeur de pâtée ; nulle garderie pour quadrupèdes. Mais, sous réserve de cette légère omission, tout est prévu : non les touristes étrangers ne perdront pas de vue leur chef de groupe dans la cohue du hall d'accueil, grâce à « de simples éléments de signalisation répartis sur la surface. Nécessairement placés en hauteur pour être visibles dans la foule, il pourrait s'agir de poteaux surmontés d'une forme (sphère, pyramide, etc.) de couleur. Le poteau présente l'intérêt de matérialiser le point autour duquel le groupe s'agglutine, le volume de couleur étant une expression compréhensible en toutes langues ». Non, les 8 à 900 parapluies laissés au vestiaire ne s'égoutteront pas inconsidérément : « Un dispositif permet de récupérer l'eau en fond de casiers. » Oui, dans l'infirmerie du public, la pudeur des personnes indisposées sera préservée : leurs lits de repos seront « séparables par un rideau ». Non, bien que sommaires, les « toilettes principales » ne seront pas lugubres : « Pour compenser (leurs) dispositions quelque peu spartiates, les matériaux seront de très bonne qualité, les couleurs attractives, les lavabos inclus dans des tablettes continues, l'éclairage sera généreux et chaleureux. » Non, même dans l'obscurité, lorsqu'ils descendront les rampes de la salle de conférences pour gagner leur place, les auditeurs ne risqueront pas de trébucher : « Les marches résultant de gradins seront agencées de telle sorte que la démarche d'un spectateur entrant reste naturelle. Ce point est important pour une personne rejoignant la salle dans la pénombre, pour laquelle des paliers trop longs impliquent un pas et demi, par exemple, ou un rythme irrégulier rendant difficile ou dangereux le fait de se déplacer. »

Cette manie exacerbée du détail va jusqu'à préciser que « l'équilibre acoustique de la salle (de conférences) doit faire l'objet de soins attentifs et être étudié principalement pour la propagation de la voix humaine », ou que, dans les réserves de la boutique du musée « les dimensions des tiroirs sont adaptées à celles des cartes postales ».

Si, enfin, vous êtes une « VIP », tout sera mis en œuvre pour vous recevoir dignement : dans un coin du sous-sol, un « salon d'accueil des personnalités » vous attend : « Un hôte de marque est accueilli à son arrivée sur le Belvédère (il s'agit de la mezzanine, qui sera bâtie sous la pyramide au-dessus du "niveau-bas" du sous-sol), puis conduit à ce salon qui est proche de l'un des ascenseurs d'entrée dans le Hall Napoléon. Il peut ainsi y laisser un manteau ; la personne chargée de le piloter dans sa visite lui est présentée. Une petite maquette générale, quelques planches murales en couleurs servent à présenter le palais, l'implantation des collections.

« Le salon est très confortable de par son aménagement : moquette de laine, murs tendus de tissu, mobilier de style et quelques fauteuils et canapés confortables qui permettront de se reposer en fin de visite. La personne reçue se verra offrir un rafraîchissement, un café, une collation légère.

« A cette fin, un office mitoyen est équipé d'un évier avec paillasse, d'un réfrigérateur, d'une plaque chauffante, d'un four à micro-ondes (pour réchauffer quelques "amuse-gueule"), d'une machine à café, d'une machine à laver la vaisselle, d'un placard de bonnes dimensions pour ranger verres, tasses, assiettes et couverts. Une hotte d'extraction met l'office en dépression pour éviter toute odeur. Elle est branchée sur un réseau d'extraction générale, afin d'être en fonctionnement permanent.

« Deux armoires intégrées dans le salon servent l'une de vestiaire, l'autre de rangement pour quelques livres d'art, médailles ou autres objets offerts en souvenir aux personnalités qui sont accueillies.

« Un escalier particulier permet d'accéder directement du salon à la mezzanine, afin d'éviter d'avoir à franchir le contrôle d'accès. Il est, bien évidemment, fermé par une porte pour que son utilisation soit contrôlée.

« Un bloc sanitaire, non accessible au public, doit se trouver à proximité immédiate du salon.

« Signalons, enfin, que l'accès des ascenseurs d'entrée au salon doit se faire par le Hall Napoléon et non par une circulation dérobée, afin que tous les visiteurs de marque aient la possibilité de prendre la dimension de cet espace essentiel du Musée. »

On aurait tort, cependant, de ne retenir de ces études que leur méticulosité ingénue ; cette profusion de détails dissimule, en effet, une proposition capitale : le Grand Louvre sera commandé par une entrée unique baptisée « Hall Napoléon ».

Représentons-nous les lieux : la pyramide occupe — ou encombre — le centre de la Cour Napoléon : l'espace qu'elle laisse libre n'est que de 110 mètres vers le fond de cette cour, et de 48 mètres sur les côtés. Ses parois sont percées de diverses ouvertures. Lorsque l'on y pénètre, on débouche sur une mezzanine — le fameux « belvédère » —, sur laquelle donnent un espace commercial, le restaurant, la cuisine, un second restaurant réservé au personnel, le « Louvre des jeunes », une exposition permanente sur l'histoire du Louvre, les vestiaires. De cette mezzanine part un circuit direct desservant les côtés nord et sud du musée.

Un escalator, un escalier et un ascenseur conduisent du

« belvédère » au niveau bas du « Hall Napoléon » à 7 mètres de profondeur.

Ce « niveau bas » de 70 mètres de côté abrite de multiples activités ou services : accueil, bureau d'information, notamment pour les groupes, caisses, salles d'audiovisuel, café, restaurants et leurs terrasses, « magasin » du Louvre (cartes postales, vente d'objets, etc.), auditorium et ses salles annexes, le Louvre des jeunes (*bis*) ; vers l'ouest, le centre de documentation et les boutiques privées ; à l'est, les expositions : exposition permanente du cabinet des dessins, expositions temporaires, présentation des nouvelles acquisitions ; à la périphérie se situeront les réserves, les ateliers et les vestiaires.

Des couloirs souterrains et, en tant que de besoin, des escalators feront communiquer le Hall Napoléon, d'une part avec la station de métro Palais-Royal, d'autre part avec le parking et la galerie marchande que l'on envisage d'aménager sous les Tuileries, grâce à des concours extérieurs que l'on recherche activement.

Du hall partira vers le sud, c'est-à-dire en direction de l'actuelle entrée du Louvre et de la salle du manège, un escalator ; au nord, un second escalator vers l'actuel ministère des Finances ; une galerie également souterraine conduira à la « crypte archéologique » de la Cour Carrée.

On comprend sans peine en quoi une entrée unique, s'épanouissant en une zone d'accueil animée, sert la cause de la pyramide : si l'accès du musée du Louvre n'était pas commandé par un unique carrefour, où se dispensent à la fois les services ordinaires d'un musée et les rations culturelles de base, et si ce carrefour n'était pas le point de passage obligé vers les voies royales qui conduisent aux collections, il n'y aurait plus matière à le magnifier par une porte triomphale.

La pyramide fortifie l'entrée unique. Celle-ci justifie la pyramide.

« *L'âme et le cœur du Grand Louvre* »

Cette entrée unique et cette zone d'accueil conçues comme « l'âme et le cœur du Grand Louvre », servent-elles, toutefois, ses intérêts ? Les organisateurs le soutiennent avec la dernière énergie. Quels sont leurs arguments ?

Tout d'abord, la pyramide et le « Hall Napoléon », ainsi que les activités multiples qui y sont concentrées, donneraient de la vie à la Cour Napoléon : elle deviendrait une place animée, sinon effervescente.

Cet optimisme est excessif. Certes, de jour l'accroissement du nombre des visiteurs stimulera « l'animation de surface » de la Cour Napoléon, bien que M. Biasini soit peut-être optimiste, lorsqu'il estime qu'un nouvel aménagement de la place du Palais-Royal, joint à l'ouverture au public du « passage Richelieu » sous l'actuel ministère des Finances, doterait Paris d'un équivalent de la Galerie du Dôme à Milan. Mais en quoi cette animation de surface serait-elle diminuée, voire tarie, parce que les 2 700 000 visiteurs du Louvre, que l'on espère doubler, se dirigeraient vers plusieurs entrées du Musée, au lieu de s'engouffrer tous sous la pyramide ?

Les spéculations sur l'animation nocturne des abords de la pyramide sont encore moins convaincantes.

Dans une interview qu'il a donnée à *Connaissance des Arts,* M. Pei pose en principe que si « Versailles peut s'endormir après cinq heures, cela n'a aucune importance, mais ce n'est pas vraiment le cas pour le Louvre, qui est situé au cœur de Paris ».

Voilà qui part d'une bonne intention, même s'il est quelque peu naïf de se figurer que le Louvre ne tiendrait pas son rang, s'il s'endormait à l'heure où s'éveillent Pigalle et la rue de la Huchette.

Mais comment le maintenir en état de veille après cinq heures du soir ?

Son heure de fermeture pourrait être retardée. Toutefois, si cette mesure certainement coûteuse était adoptée, rien ne garantit que les touristes et, à plus forte raison, les Parisiens se rendraient en masse au Louvre chaque soir après dîner.

On vise, il est vrai, plus haut : la célèbre « piazza » du Centre Pompidou pique d'émulation les « décideurs ». Il n'y a pas quinze ans, le plateau Beaubourg, à l'approche de la nuit, plongeait dans un sommeil plus profond encore que celui de la Cour Napoléon. Aujourd'hui il revit, d'une vie que ses riverains trouvent même un peu trop exubérante. Pourquoi ne réussirait-on pas ici ce que l'on a si bien réussi là ?

La « piazza » doit, toutefois, son succès à la conjonction de conditions précises, qui ne semblent pas près d'être réunies dans la Cour Napoléon. Elle tire avantage de la proximité des Halles. Mais le Louvre ne peut guère compter, pour s'égayer, sur ses plus proches voisins, le Théâtre Français, le Conseil d'État, ou les boutiques de la rue de Rivoli, dont les rideaux de fer sont tirés dès 18 heures. De plus, le Centre Pompidou a le privilège d'abriter une bibliothèque de lecture publique. Or, les livres attirent plus sûrement que les œuvres d'art un public nombreux jusqu'à une heure avancée de la nuit. Il est, enfin, bordé au nord, au sud et à l'ouest d'une guirlande de lieux agréables aux noctambules. Or, même ceux qui sont le plus intimement persuadés qu'une ville qui repose est une ville morte, ne proposent pas de sertir le pourtour de la Cour Napoléon d'une nébuleuse de cinémas, de restaurants, de cafés et d'estaminets, qui graviteraient autour de la pyramide.

Pour remplacer les atouts qui leur manquent, que prévoient les organisateurs du Grand Louvre ?

Un restaurant « grande carte » (deux ou trois étoiles) qui devait être situé en sous-sol, mais qu'on logerait plutôt, en définitive, au rez-de-chaussée de l'aile du ministère des Finances, à l'angle de la colonnade Richelieu.

Dans le sous-sol : « un ensemble colloques » de 1 200 m², qu'ils jugent de nature à « motiver une vaste clientèle, attirée par le "panache" d'un congrès tenu au Louvre : auditorium, salles à surface variable, traduction simultanée, etc. »

Une salle de réception (450 m²) : « (elle) ouvre *impérativement* et *largement* sur le Hall Napoléon, qui devient son extension pour les grandes réceptions nocturnes qui se déroulent tant dans la salle que dans le Hall Napoléon. »

Des expositions temporaires sur 1 252 m².

A lire les déclarations de M. Pei à la presse, ainsi que les descriptions lyriques des programmateurs, il n'en faut pas davantage pour que la Cour Napoléon soit parcourue d'une intense électricité nocturne : on se figure de beaux messieurs et de belles dames sortant d'un restaurant à deux, voire trois étoiles, d'une « grande réception nocturne » donnée entre le magasin souterrain et les parkings, ou d'un congrès dont le haut niveau « muséal » aurait été encore relevé par le « panache » du Grand Louvre. Les voyez-vous flâner dans la Cour Napoléon sur le coup de minuit ? Les élégants et les élégantes, mêlés à des bandes de jeunes, à des provinciaux et aux gens du quartier s'attardent dans la douceur de ces belles nuits chaudes dont Paris a le privilège, sans se décider à rompre le charme magique qui émane du vieux palais et de sa jeune et brillante compagne...

L'ouverture, le soir, des galeries nationales du Grand Palais ne crée pas, toutefois, une telle effervescence dans cette partie des Champs-Élysées que l'on puisse escompter que des expositions temporaires animeront la Cour Napoléon *by night.* Croit-on, d'autre part, qu'un restaurant « Grande Carte », un « ensemble colloques », une salle de réception attireront nombreux, comme la lampe vers laquelle volent les insectes, les joyeux papillons de la nuit ?

Les partisans de l'entrée unique avancent également à l'appui de leur théorie que le palais du Louvre n'a pas d'entrée : désormais, grâce à la pyramide, il aurait enfin celle qui lui manque depuis toujours.

En fait, le palais n'a pas une, mais plusieurs entrées, toutes plus somptueuses et solennelles les unes que les autres, même si, faute de crédits, seules celles du ministère des Finances ont été correctement aménagées. Que d'escaliers d'honneur ! Voici aménagés dans les pavillons du nord et du midi de la colonnade de Perrault, les deux escaliers monumentaux de Percier et Fontaine ; entre la Cour Carrée et la Cour Napoléon, l'escalier Henri-II ou Grand Degré, construit en 1551, et son pendant, l'escalier dit Henri-IV, bien qu'il ait été construit par Lemercier en 1639, comme le passage du pavillon de l'horloge qui lui est attenant : quel musée au monde pourrait prétendre s'ouvrir par une entrée de 1639 et faire gravir à ses visiteurs un escalier du milieu du XVIe siècle ? Il faudrait encore citer l'entrée actuelle, qui conduit, d'un côté, au grand escalier Mollien — commencé en 1857, terminé en 1914 ! — et, de l'autre, à l'escalier Daru qu'orne la *Victoire de Samothrace.* Pour couronner cet ensemble unique, le ministère des Finances recèle de grands escaliers que le public ne connaît pas encore : l'un d'entre eux, qui conduisait à la bibliothèque impériale, est le plus bel escalier d'époque Napoléon-III que l'on puisse voir à Paris, après celui de l'Opéra.

Quel privilège, ces entrées solennelles, dont le style illustre cinq siècles d'architecture ! Est-il une voie plus poétique et plus noble pour franchir cette ligne invisible qui sépare le monde de l'Art de la réalité ? « Dès le seuil, écrivait le directeur des Musées de France, Henri Verne, en 1934 (le Louvre) prépare le visiteur cultivé, en le plaçant aussitôt, si je puis dire, dans l'état d'esprit historique, il frappe du moins le visiteur ignorant par sa majesté ancienne. Pourquoi priver l'amateur ou le passant d'une réaction critique ou d'une émotion, préliminaires également favorables au plaisir de l'art ? »

M. Pei, qui a, dit-il, passé plusieurs mois à étudier le Louvre, a déclaré à *Libération*, le 26 janvier 1984 : « Je ne touche pas au palais *qui n'existe pour ainsi dire plus.* » Doit-on le croire ? Ou partager l'avis du vieil historien Albert Babeau, qui terminait son étude sur *le Louvre et son histoire* (1895) par cet hommage, ou plutôt ce chant d'amour, dédié à un palais, dont, paraît-il, il ne subsiste rien : « La supériorité du Louvre, c'est qu'il n'a pas été bâti pour devenir un musée : les bâtiments construits dans ce but spécial, comme à Munich et ailleurs, peuvent être parfaitement aménagés à l'intérieur ; ils ne présentent trop souvent à l'extérieur que des surfaces et des profils froids et dépourvus d'intérêt. Il n'en est pas de même, lorsqu'un palais séculaire, élevé pour abriter les magnificences d'une cour princière, a ouvert ses salles aux collections artistiques, comme le Vatican, les Uffizi de Florence, comme le Louvre. Là, le monument est égal en valeur aux collections qu'il renferme, parce qu'il a une autre origine, parce qu'il a son histoire et son art distincts. Supérieur en majesté et en variété au Vatican, aux palais d'Italie, et même aux palais souverains des grandes capitales du monde, le Louvre réunit les qualités des divers siècles pendant lesquels il s'est accru, la suprême élégance du style de Henri II, la recherche séduisante de l'époque de Henri IV, la sévère noblesse du temps de Louis XIII, la majesté de Louis XIV, l'ampleur, la richesse et la science de notre siècle. A travers les vicissitudes des âges, des régimes et des goûts, il s'est continué, amalgamant les tendances des diverses époques, les rapportant à une sorte de règle première et les coordonnant, malgré quelques notes disparates, dans une unité harmonieuse, qui est conforme à l'histoire et au génie français. C'est notre palais par excellence. Superbe par son apparence et ses richesses, il atteste la grandeur du passé et du présent de la France, et resplendit au front de sa capitale comme l'un des joyaux les plus précieux de sa couronne. »

Mais, dit-on, les visiteurs erreraient comme des âmes en peine, sans savoir par où entrer au musée, si une pyramide ne venait obligeamment à leur secours. L'entrée unique leur permet de s'orienter facilement.

Sans doute est-il indispensable que les visiteurs ne se perdent pas ! Toutefois, on sous-estime d'autant plus volontiers leur aptitude à s'orienter, que l'on cherche à justifier l'entrée unique, qui doit elle-même justifier la pyramide. Ainsi, alors que la plupart de nos contemporains trouvent leur chemin dans un aéroport, un grand magasin, les échangeurs d'une autoroute, le labyrinthe des ruelles de Venise, arrivés aux abords du Louvre, sans doute impressionnés par la majesté des lieux, soudain ils deviendraient incapables de découvrir dans un rayon de 150 mètres la porte Richelieu, du côté de l'ancien ministère des Finances, ou la porte Denon qui lui fait face, même si une signalisation appropriée, qui, jusqu'à présent, n'a jamais été mise en place, leur indiquait à quelle partie du musée chacune d'entre elles donne accès. En revanche, si les mêmes indications leur sont données sept mètres plus bas, à l'entrée des principales artères du sous-sol, on pose en principe que les écailles leur tomberont des yeux et que le plus borné se dirigera infailliblement à travers la foule vers la salle de son choix.

Au demeurant, même si les visiteurs, surtout s'ils viennent pour la première fois et débarquent de leur voiture ou de leur car dans le parking qui s'étendra sous les Tuileries, seront satisfaits d'accéder à une zone où ils trouveront toutes les informations qu'ils pourront désirer, est-il indispensable que ce rond-point central soit désigné aux regards par une pyramide de 20 mètres de haut ?

Pour M. Pei et les programmateurs, cette entrée centrale et unique aurait, il est vrai, l'avantage de « distribuer les visiteurs vers l'immensité des surfaces d'exposition en leur assurant des cheminements aussi directs que possible » : l'entrée unique raccourcirait leur marche d'approche vers les départements : « Grâce à la reprise des surfaces des Finances, le Louvre devient un U et non plus un musée linéaire, étendu sur plus de 860 mètres. Le sous-sol de la Cour Napoléon était l'occasion de "fermer" ce U et de réduire les distances de déplacement : il n'y a que 150 mètres de Richelieu à Denon, 230 des Salons Morny à la salle du Conseil. »

Si l'on se place au centre du U, ces calculs sont, en effet, exacts. Encore faut-il y parvenir ! Si l'on arrive par le Pont-Neuf et que l'on veuille visiter les salles de la colonnade de Perrault, on ne prend pas un raccourci en allant chercher l'entrée au milieu de la Cour Napoléon ! Mais, au fait, par où sortira-t-on ? Les rapports de la programmation sont muets sur ce point. Quelle cavalcade pour ceux qui n'auraient rien laissé au vestiaire de la « zone d'accueil » (c'est-à-dire, selon les programmateurs, pour 80 % des visiteurs) si, du deuxième étage de la Cour Carrée ou de l'extrémité de la grande galerie, où ils se sont aventurés, ils doivent, avant de se retrouver à l'air libre, retourner par les souterrains jusqu'à la case « départ » ? Si, au contraire, certaines sorties directes sont tolérées, pourquoi le plus court chemin vers la sortie ne serait-il pas également le plus court pour entrer ?

Ainsi, bien que, soi-disant, l'entrée unique raccourcisse les distances, que la route est longue jusqu'aux salles des départements ! Dieu ! Qu'il est grand, ce Grand Louvre ! Si grand qu'au moins un département dans sa sagesse réaliste s'est trouvé si éloigné de « l'âme et du cœur du Louvre » qu'il a jugé bon d'installer une antenne dans cette entrée unique « qui raccourcit les distances ».

« Le Cabinet des Dessins est le département le plus excentré du nouveau dispositif muséologique du Louvre. Bien que disposant d'un ensemble spécifique, qui donne accès à ses expositions temporaires et à sa documentation, il risquait d'être moins présent à l'esprit des visiteurs du Louvre que les autres départements.

« Aussi, a-t-il été prévu, dans le cadre du complexe d'accueil du Louvre, une salle où seraient organisées des expositions de façon permanente mais avec un contenu renouvelé.

« Cette salle est la vitrine du Cabinet des Dessins. »

Encore est-il heureux qu'il n'ait demandé qu'une « vitrine » aux dimensions relativement modestes (200 m^2) et que le musée des Arts décoratifs et le musée de la Mode, aussi éloignés que lui de l'entrée unique, puisqu'ils sont ses vis-à-vis dans l'aile de Marsan, n'aient pas émis la même prétention. Il est vrai que, dans leur cas, elle eût été moins facilement exaucée : en effet, par dérogation à la règle de l'entrée unique, ils gardent eux, leur double accès par la rue de Rivoli et le jardin des Tuileries. Ils ne risquent donc pas que la vie se retire de cette extrémité.

La supercherie de ce prétendu raccourcissement des distances grâce à l'entrée unique a été ingénument dénoncée par la SODETEG elle-même à propos des expositions prévues aux confins de la zone d'accueil : « Ce sont des expositions que l'on vient voir pour elles-mêmes. Elles ne sont pas dans le cadre global de la visite du Musée. Ouvrant directement sur le Hall Napoléon (l'exposition) *lui assure la présence immédiate d'œuvres, par opposition aux distances à parcourir pour atteindre les collections.* »

Comme Louis XV se réfugiait dans ses petits appartements pour oublier la splendeur oppressante du palais de son aïeul, on crée donc en sous-sol un Petit Louvre qui dispensera de s'épuiser à parcourir les espaces infinis du Grand !

« *L'âme et le cœur du Grand Louvre* »

Après avoir épuisé cette première série d'arguments, la nécessité d'une animation nocturne de la Cour Napoléon, l'absence d'entrées dans le Louvre, l'incapacité des visiteurs à s'orienter, s'ils n'ont pas une pyramide haute de 20 mètres pour les y aider et le pseudo-raccourcissement des distances, les organisateurs chantent les louanges de la zone d'accueil : « Le hall de réception, déclare M. Pei dans l'article précité de *Libération*, sera conçu à l'image d'une grande place publique en sous-sol comme le parvis de Beaubourg » (toujours cette hantise : relever le « défi » du Centre Pompidou), « mais elle sera climatisée. Pour rendre ce lieu passionnant, il faut deux choses : la lumière et le volume (...) il faut créer un espace, un volume. J'aurais pu mettre une sphère, un cube. J'ai choisi la pyramide. Le lieu devient excitant. »

La SODETEG, de son côté, consacre au « Hall Napoléon, centre de vie », une page qui ne manque pas de souffle :

« La création d'un ensemble de l'importance du Hall Napoléon ne peut être neutre.

« A la nécessaire vigueur architecturale répond une volonté de vie d'un tel équipement allant bien au-delà d'une simple entrée monumentale dans le premier musée du monde.

« Cette fonction doit, certes, être parfaitement traitée et apporter au public la qualité de service attendue : confort, clarté, simplicité, mais elle doit exister au milieu d'un bouillonnement de vie, d'activités si présentes que le public ait envie de participer, et ce tant dans le domaine purement artistique que de vie intellectuelle et sociale. (...)

« Et ce n'est pas seulement aux heures d'ouverture des musées que le Hall Napoléon vivra, mais aussi le soir, où l'envie de mieux connaître le Musée sera insufflée aux utilisateurs nocturnes de cet espace.

« Les pôles d'activité liés au Hall Napoléon sont :

— directement liés à la vie du Musée et au monde artistique,
— de formation et de dialogue,
— purement sociales. »

Cette « volonté systématique » d'animation artistique du Hall Napoléon donne au sous-sol le lustre qui justifie la pyramide. Mais sert-elle les intérêts du Musée ?

Comme ces maîtresses de maison qui fleurissent leur antichambre, tous les musées du monde égayent volontiers leur « zone d'accueil » par une rétrospective historique, un choix de leurs nouvelles acquisitions, voire une petite exposition.

On ne peut faire grief aux organisateurs de l'accueil souterrain du Grand Louvre de les imiter mais il faut garder la mesure : un musée ne doit pas commencer par un musée-bis, enterré dans sa cour d'honneur.

Cette mesure a-t-elle été gardée dans le sous-sol du Grand Louvre ? Mieux qu'un long discours, quelques chiffres permettent d'en juger.

D'après le rapport de « pré-programmation », les espaces créés dans le sous-sol représentent 24 700 m², dont au minimum 9 765 pour l'accueil, le reste (réserves, laboratoire, atelier, etc.) n'étant pas accessible au public.

Ces 9 765 m² se décomposent ainsi :

Services		Activités culturelles	
Accueil général	1 473 m²	Expositions	1 252 m²
Accueil des groupes	310 m²	Ensemble colloques	1 291 m²
Restauration générale	2 850 m²		
Ventes	1 420 m²		
Chalcographie	287 m²		
Louvre des jeunes (accueil)	370 m²	Louvre des jeunes (activités)	512 m²
	6 710 m²		3 055 m²

En d'autres termes, près d'un tiers des activités de la zone d'accueil ont un caractère culturel :

Les expositions (nouvelles acquisitions, 220 m² [exposition du Cabinet des Dessins : 200 m²] ; salle d'exposition : 800 m², sans compter quelques espaces attenants pour la gestion ou le stockage) représentent 12,8 % des espaces.

Or, les départements auront également leurs surfaces d'expositions temporaires : de l'ordre de 700 m² pour les Antiques, 1 000 m² pour les Peintures, 450 m² pour les Dessins, 100 m² pour les Objets d'art. Dans ces conditions, un dédoublement de cette importance — 1 250 m² de salles d'exposition en sous-sol — s'impose-t-il ?

L'ensemble colloques (un auditorium de 498 m², 2 salles de 40 personnes, 4 salles de 20 personnes) représente — si l'auditorium est maintenu — 13,22 % des surfaces de l'accueil.

Mais, par ailleurs, l'École du Louvre, qui trouve si peu sa place dans le Louvre qu'elle mériterait d'être appelée l'École-hors-du-Louvre, organise elle aussi ses colloques avec les moyens du bord. Pourquoi faire en petit, ici et là, ce que l'on pourrait faire en grand, mais en un seul endroit ?

Enfin, les activités culturelles prévues pour les jeunes occupent 5,2 % des espaces. Or, il a été également décidé de créer un atelier pour les jeunes dans chaque département, au contact direct des collections, ce qui est évidemment bien préférable. Pourquoi en faire un sixième dans l'antichambre du Musée ?

Alors que l'extension du Louvre risque de prolonger démesurément la « longue marche » de ses visiteurs, n'est-il pas, enfin, contre-indiqué de les arrêter à l'entrée, de capter leurs forces, de distraire une part du temps étroitement mesuré dont ils disposent (d'après les programmateurs, « 60 % des visiteurs ne passent pas plus de deux heures dans le Louvre ») en tentant de les retenir par « des activités si présentes que le public ait envie de participer ». Les conservateurs en chef n'ont pas prévu dans leurs départements de spectacles audiovisuels, afin que le public ne soit pas distrait de la contemplation des œuvres. Pourquoi acceptent-ils un sous-sol conçu pour différer l'entrée des visiteurs dans leurs départements ?

Ce déploiement d'activités culturelles à l'entrée est d'autant peu vain que de nombreux visiteurs, pressés d'entrer dans le vif du sujet, sauteront cette préface qui se prend pour le livre. Les programmateurs eux-mêmes reconnaissent que les conducteurs de groupes n'inciteront pas leurs ouailles à s'attarder dans le Hall Napoléon : « Les groupes de touristes, en majorité composés d'étrangers, sont amenés par une agence de voyages, dans le cadre d'un emploi du temps précis et pour effectuer une visite définie dans le temps et l'espace. (...)

Il en résulte que les groupes traversent la masse des visiteurs individuels comme le soc d'une charrue dans la terre meuble, bousculant tout flot naturel de déplacement. Il faut donc séparer les mouvements des groupes de touristes des visiteurs individuels, afin, précisément, de permettre la création de courants naturels. Le cheminement des groupes de touristes, de l'arrivée au niveau bas du hall jusqu'aux surfaces d'accueil des groupes, est aussi direct que possible et *évite la traversée du hall.* »

Ainsi, de deux choses l'une : ou les activités « culturelles » du Hall accaparent les visiteurs et il est abusif, ou bien ceux-ci le traversent « comme le soc d'une charrue dans la terre meuble » et il est superflu.

Pour justifier cette entrée qui se prend pour le Musée, on fait également valoir qu'elle aura un rôle, pour ainsi dire, propédeutique. Elle serait destinée à acclimater aux zones de haute tension culturelle du Louvre les Parisiens qui ne s'y sont jamais encore aventurés : « On s'y rendra dans d'autres buts que la visite pure du Musée qui deviendra ainsi plus familier et donc plus aisé à visiter. C'est là une approche fondamentale pour reconquérir ce public parisien et même provincial qui fait si souvent défaut au Louvre. »

Louable intention ! Admettons, souhaitons que le « centre de documentation Grand Public », les salles audio-visuelles, les salles d'expositions temporaires, le « complexe conférences-colloques », l'« ensemble restauration du public », les comptoirs de vente aient le pouvoir de « reconquérir » (ou de conquérir ?) le public qui fuit le Louvre. Que vaudra, toutefois, cette initiation, entre la cafétéria et les boutiques, dans un tohu-bohu commercialo-nutritivo-culturel ?

Le public entre au musée saturé du mouvement et des bruits de la ville. Comment doit-il y être accueilli ? En intoxiqué, qui ne peut vivre sans sa drogue ? En machine à enregistrer des idées courtes et des sensations grossières ? Ne le méprise-t-on pas lorsque, sous prétexte de l'élever, on le précipite dans un sous-sol où il retrouvera la cohue, le bruit, le *stress*, c'est-à-dire la réplique souterraine du monde extérieur, auquel le monde intérieur des formes imaginaires devrait le faire échapper. Si l'on ne peut créer pour lui un havre de paix, d'agrément et de facilité dans ce Louvre où déferlent en rangs serrés les bataillons qui viennent admirer les quatre super-vedettes, Mona Lisa, la Vénus de Milo, la Samothrace, le *Couronnement de Napoléon* par David ainsi que trois « hauts lieux », la Grande Galerie, la Galerie d'Apollon et le Salon Carré, ne doit-on pas, tout au moins, s'efforcer de créer un climat, qui l'incite à faire en lui-même ce silence qui seul permet de percevoir le langage des formes ? Est-ce en le plongeant dans un « bouillonnement de vie » qu'on lui enseignera la façon dont, selon le mot de Claudel, « l'œil écoute » ?

Une entrée unique, d'après ses partisans, aurait ce dernier avantage d'éviter des doubles emplois, donc d'être économique : « comment ne pas craindre, écrit un conservateur du Louvre dans la revue *Commentaire* (automne 1984), l'idée de fragmentation du palais en autant de musées indépendants (avec pour chacun entrée, vestiaire, billetterie, comptoirs de vente, restaurants ! Que de place perdue !) ? »

Ce souci d'économiser l'espace et, accessoirement, l'argent des contribuables est des plus louables. Il ne faut pas, toutefois, le pousser trop loin, ni crier au gaspillage et à la gabegie, quand certains doubles emplois sont nécessaires, pour bénir l'instant d'après, parce qu'elles vous agréent, des duplications superflues.

Dans un établissement qui reçoit chaque année plusieurs millions de visiteurs, certains doubles emplois sont inévitables : ainsi, le visiteur du Centre Pompidou, lorsqu'il franchit l'entrée principale, qui lui offre toute une gamme de services, trouve à divers étages une billetterie, un vestiaire, un comptoir d'achat. Le coût de ces services secondaires est relativement négligeable, comparé, par exemple, à celui de la climatisation, que rend indispensable la structure du bâtiment (on sait à ce propos que M. Pei prévoit également la climatisation de son sous-sol).

En revanche, quelle bousculade et quelles queues, si l'on avait concentré dans un unique espace des billetteries, vestiaires, etc. calculés pour 20 à 25 000 visiteurs par jour !

Pourquoi le Grand Louvre ne comporterait-il pas, lui

aussi, outre une entrée principale, deux ou trois entrées secondaires, pourvues à tout le moins de billetteries et de vestiaires ? La programmation n'élude pas la question mais masque la réalité : « le Hall Napoléon, dit-elle, met à la disposition du public les services d'accueil et d'information qu'il est en droit d'attendre et que le palais ne peut offrir *en raison de l'étroitesse des bâtiments.* Il est *impossible* d'y implanter les fonctions de base — vestiaires, caisses, information, ventes de guides, contrôle d'entrée — tout en assurant la poursuite d'un circuit muséologique. »

Que les programmateurs visitent, s'ils n'en ont pas eu l'occasion, le Centre Pompidou : ils constateront qu'il est moins large que la plupart des bâtiments du Louvre sans que son étroitesse ait gêné l'implantation de « fonctions de base » dans des entrées secondaires.

De même, on ne voit pas en quoi il serait abusif que « le plus grand musée du monde » ait deux cafétérias disposant de vues agréables, par exemple, l'une du côté de la rue de Rivoli, l'autre donnant sur la Seine.

Les programmateurs, toutefois, s'y opposent : certes, « dans le Musée, en des endroits choisis tant pour marquer des étapes dans la visite que pour offrir au public des lieux privilégiés de vue sur le palais et sur Paris, des points de repos seront aménagés. Ils comporteront des sièges, un comptoir de vente d'objets et de documents se rapportant aux collections environnantes et, dans la plupart des cas, un point de vente de boissons. (En revanche) la vente de nourriture, sous quelque forme que ce soit, sera proscrite, pour éviter papiers et déchets dans les salles. »

Ainsi, les vieilles habitudes se perpétuent : à l'exception de la Tour Eiffel — mais elle était à l'origine une concession privée — et du Centre Pompidou, dont le public apprécie le restaurant « panoramique » — d'ailleurs, décidé à l'époque *contre* les programmateurs qui le déclaraient « impossible » —, la plupart des édifices publics qui ont des vues admirables ne sont pas accessibles au public, ou, s'ils le sont, rien n'invite à s'y attarder. Il semblerait même incongru de manger un sandwich au-dessus des toits de Paris.

Le Musée des Arts et Traditions populaires est merveilleusement situé au milieu du bois de Boulogne : qui accède à sa terrasse ? Paris, vu des terrasses du Trocadéro, qui le contemple, sinon les occupants de quelques appartements de fonction ? Le pavillon de Flore et sa terrasse, pour qui ? D'après le recueil de plans que la SODETEG a joint à ses rapports, on y installera des ateliers de restauration : marbrerie, ébénisterie, céramique, métallerie, etc. ; ou peut-être, des bureaux. Quant au public, il ira se reposer dans « le bouillonnement de vie » du Hall Napoléon.

Ne devrait-on pas cependant comprendre que, si l'on veut attirer 5 000 000 de visiteurs, tout doit être mis en œuvre pour que leur randonnée à travers « le plus grand musée du monde » ne soit pas une épreuve. Or, pour rebrousser chemin à travers les salles que l'on vient de visiter, descendre d'escaliers en escalators jusqu'au sous-sol, traverser la foule de ceux qui sortent et qui entrent, s'attabler, déjeuner, refendre la foule, remonter, retraverser les mêmes salles et, tout guilleret et requinqué après cet agréable moment de détente, reprendre sa visite au point où on l'avait laissée, il faudra l'entraînement et le moral d'un alpiniste détenteur, à tout le moins, du chamois culturel d'argent.

Ce parti pris est si peu raisonnable qu'à l'heure actuelle, on étudie le moyen d'extraire du sous-sol le restaurant « Grande Carte » : il serait logé au rez-de-chaussée de l'aile nord, donc à l'air libre. Bonne nouvelle pour les *happy few* qui fréquenteront « les salles et leurs dépendances aménagées avec un niveau de luxe en rapport avec l'objectif de qualité culinaire ». Mais les autres ? Ils resteront dans les profondeurs : à l'étage noble, le restaurant « trois étoiles ».

Au sous-sol, la cafétéria du public ordinaire et la cantine du personnel.

Tel est ce Grand Louvre de nourritures spirituelles démocratiques et de gastronomie élitiste : un paquebot où, à l'heure des repas, les passagers des premières s'attablent sur le pont, tandis que les secondes classes et le personnel s'entassent dans une soute améliorée.

Encore les passagers de seconde classe s'amusent-ils plus, parfois, dans leur réfectoire que les seigneurs de la Grande Carte. Ils forment de longues tablées, où ils chantent et rient, ces bons enfants. Mais attention ! Dans le Grand Louvre, elles seront interdites : « Les tables seront prévues pour quatre et huit personnes. On ne cherchera pas à ce qu'elles puissent être réunies ensemble, pour éviter la création de grandes tablées trop bruyantes. » Il ferait beau voir que la joie des convives dérange, dans l'auditorium voisin, ces messieurs du colloque.

Le maintien des « espaces-repas » au sous-sol se justifierait, il est vrai, selon les programmateurs, pour des raisons techniques : ils invoquent « les problèmes de livraison, de stockage, de bruit et des émanations de la cuisine, ainsi que la sécurité, tant incendie qu'effraction ». Ne sous-estimons pas ces difficultés, même si elles ont été résolues en bien d'autres musées du monde. Mais disparaissent-elles en sous-sol ? Bien au contraire, elles s'accroissent : un hall d'accueil souterrain n'est pas le lieu le plus propre à résorber « le bruit et les émanations » d'une « restauration générale » s'étendant sur 2 850 m².

Les incompatibilités se multiplient, lorsque l'on pose en principe que l'entrée unique est l'aimant universel dont le magnétisme doit attirer pêle-mêle les colloques et les cartes postales, les expositions temporaires et les plateaux-repas.

A force de vouloir entasser trop d'activités dans un même lieu, on aboutit au résultat inverse de celui que l'on recherche : la concentration excessive aboutit à la congestion.

Le taux de congestion est-il excessif dans le sous-sol du Grand Louvre ? Les aveux à peine déguisés de la programmation le font craindre.

Ainsi, cette entrée unique de près de 10 000 m^2, dotée de fonctions multiples, sinon contradictoires, et parcourues chaque jour par 15 à 20 000 visiteurs ne sera pas d'une surveillance facile. La SODETEG n'en fait pas mystère :

« La notion de sécurité constitue, bien évidemment, l'un des problèmes majeurs d'un ensemble souterrain de cette importance.

« Sécurité des personnes d'abord, infiniment complexe tant en raison du nombre de personnes impliquées que de la diversité de leur comportement et de leurs activités dans cet ensemble. »

En conséquence, il sera indispensable de mettre en place un système de surveillance renforcé : « tous les espaces seront couverts, selon les besoins, par des détecteurs d'effraction, de mouvements, des caméras de surveillance, etc. » Il est regrettable que le public n'ait pas accès aux « casiers consignes » : il pourrait se faire une idée de ce que devait être le bunker d'Hitler, dans les profondeurs de sa Grande Chancellerie. Ces casiers sont, en effet, « installés dans un espace "anti-explosion" : murs béton renforcés, plafond béton mobile, selon le principe "couvercle de marmite". Sortie par chicane antidéflagration ».

En dépit de ce luxe de précautions, gageons que le « central sécurité-pompiers » de 223 m^2 aura fort à faire pour contrôler la « piazza » enterrée, dont on veut doter le Grand Louvre.

Le contrôle du bruit sera tout aussi problématique.

De même que la pyramide sera transparente-réfléchissante, le hall d'accueil doit être, en effet, bruyant-silencieux. Quel bruit ! Entre 12 et 20 000 personnes sont attendues chaque jour à la boutique du Musée, dite « magasin du Louvre » ; la terrasse du café sera « en plein dans l'activité du Hall Napoléon ». L'espace d'« attente générale des groupes » ne sera pas « séparé du hall par un cloisonnement. Le brouhaha qui y règne constitue un des éléments sonores d'animation du hall ». En revanche, dans ce tohu-bohu que l'on n'évitera pas, et même que l'on recherche, il est souhaité que les visiteurs se reposent : non seulement dans « l'aire de repos », qui « permet un "temps d'arrêt" à l'arrivée, pour prendre conscience du volume », mais au café « un peu isolé des mouvements de la foule, du bruit. C'est un lieu d'arrêt, de détente ». Par ailleurs, les quelques expositions que l'on offrira au public exigeront de sa part un minimum de concentration ; enfin, à la lisière de cette salle des pas perdus, bordée de restaurants, de cafés, de spectacles audiovisuels et d'un grand magasin, on souhaite créer une zone de silence et de recueillement : « c'est à ce prix que des colloques et des congrès pourront se dérouler à l'abri de l'agitation du Hall Napoléon, dans une véritable atmosphère de séminaire, ce qui est la condition essentielle de réussite de cet ensemble. »

Les acousticiens n'auront pas la partie belle pour concilier une chose et son contraire : les bruits du monde, le silence de l'étude.

Enfin, les odeurs... Qui a visité au Grand Palais, en 1983, l'exposition si distinguée des dessins et des estampes de Claude le Lorrain se rappellera les relents de cuisine dans lesquels elle baignait. Ce désagrément sera-t-il évité dans le sous-sol du Hall Napoléon ? Les programmateurs s'en portent garants : la « clim » y pourvoira.

Les vestiaires ? « Le système de climatisation de ces

espaces est conçu pour apporter un fort taux de renouvellement d'air, afin d'éviter toute odeur désagréable. Il est asservi à un senseur extérieur qui, par temps de pluie, augmente le taux de renouvellement d'air et abaisse le taux d'hygrométrie, afin d'assurer une évacuation de l'humidité apportée par les vêtements. » Les salles de séminaires ? « Les conditions de climatisation et d'éclairage sont classiques pour un excellent confort avec un taux de renouvellement de l'air supérieur aux normes de trois volumes d'air, pour compenser la localisation en sous-sol. Les cellules de climatisation tiennent compte de la présence de fumeurs. » Les restaurants ? Ils occupent 29,18 % de la zone d'accueil — 2 850 m² sur 9 765. Sont-ils compatibles avec « l'ensemble colloque », qui occupe, lui, 1 291 m², soit 13,22 % des surfaces.

Le réfectoire des groupes scolaires ? « La climatisation assure un renouvellement d'air important et met la pièce en dépression pour éviter toute propagation d'odeurs vers les espaces environnants. » Le vestiaire des hôtesses ? « Deux cabines permettent aux hôtesses de se changer. Un lavabo encastré dans un long plan formant coiffeuse complète l'équipement de la pièce. Le taux de renouvellement de l'air sera au minimum de 10 volumes par heure, afin d'éviter tout problème d'odeurs. »

La climatisation, indispensable dans le bloc de verre du Centre Pompidou, ne s'imposait pas plus dans le sous-sol du Louvre que dans celui de bien d'autres immeubles parisiens. La congestion des fonctions, jointe à l'effet de serre de la pyramide, la rend nécessaire. On sait qu'elle est coûteuse et qu'elle se dérègle facilement dans un espace où l'affluence rend malaisé le contrôle des sas qui séparent l'espace climatisé de l'air libre. Formons des vœux pour qu'elle soit efficace ! Il est, en effet, douteux que le fumet des vestiaires les jours de pluie, le parfum des congressistes, la fumée des cigarettes, les relents de cuisine et les

« problèmes d'odeurs » des hôtesses se neutralisent ou se conjuguent pour faire de ce hall souterrain un jardin des senteurs suaves.

Souhaitons également que soient épargnées au Carrousel et aux Tuileries les prises d'air monumentales qui enlaidissent les abords immédiats du Centre Pompidou. Dans un article du *Monde* (10 octobre 1984), M. Marc Ambroise-Rendu s'interroge à ce sujet : sous le jardin des Tuileries, « deux étages de parkings (abriteront) une centaine de cars et au moins cinq cents voitures (...) comment assurer les accès et la ventilation de ces garages souterrains sans déparer la surface ? (...) MM. Pei et Michel Macary, les architectes du Grand Louvre, doivent faire preuve d'originalité pour garantir la climatisation des sous-sols sans encombrer la place de superstructures disgracieuses comme celles qui ont fleuri autour du Forum des Halles. Les cheminées des restaurants enterrés seront dissimulées dans les bâtiments de l'ancien ministère des Finances ».

Sans entrer dans trop de précisions techniques, l'aménagement d'un système de hottes aspirantes pour ventiler le restaurant du personnel, la cafétéria et le restaurant grand public, logés au dernier étage du Centre Pompidou, n'a pas exigé de telles prouesses.

Ce « Hall Napoléon », qui prétend être tout à la fois l'un des centres nerveux de la vie parisienne, un lieu où souffle l'esprit, un « complexe » de services, un espace initiatique et une source d'économies, bref, « l'âme et le cœur du Louvre », mais qui est, en fait, une antichambre congestionnée, coûteuse et paradoxale — vient-on au Louvre pour visiter l'entrée ? — a pour défenseurs non seulement les zélateurs de la pyramide, puisque l'incongru trouve dans la démesure son soutien, mais aussi les programmateurs, sans doute curieux d'expérimenter *in vitro* un échantillon de cet « urbanisme souterrain » que professait

Édouard Utudjian dans les années 50, et enfin, les partisans d'une direction de l'animation culturelle, qui coifferait, en fait, sinon en droit, les conservateurs. Mus par des motifs différents, ces alliés objectifs montent la garde autour de cette « zone d'accueil », qui commande l'ensemble des accès aux départements.

Dans ce palais qui s'étend des Tuileries à Saint-Germain-l'Auxerrois, et dont le périmètre extérieur mesure près d'un kilomètre et demi, combien de temps se perpétuera le totalitarisme de l'entrée unique ?

Déjà, par la force des choses, il s'assouplit : la programmation accorde que « d'autres accès subsisteront cependant » : le Cabinet des Dessins, le Musée de la Mode, le Musée des Arts décoratifs auront leurs entrées séparées. Au surplus, « il sera, peut-être, dans un stade ultérieur de la réflexion, créé d'autres entrées secondaires et intéressant une minorité, sans besoin d'installations d'accueil complètes, car il est bien difficile d'expliquer à un groupe de touristes étrangers pourquoi certains visiteurs peuvent emprunter un accès qui leur est refusé, faute d'installations adéquates. »

Un accès direct des conservateurs à leurs bureaux au moyen de clefs magnétiques est, enfin, à l'étude.

On commence, d'autre part, à annoncer à petit bruit que l'entrée unique n'implique pas la sortie unique. Mais, si l'on prévoit diverses sorties, elles doivent être contrôlées, ne serait-ce que pour prévenir des vols. Or une sortie contrôlée est bien près de servir également d'entrée.

Enfin, on parle de moins en moins d'entrée *unique*, de plus en plus d'entrée *principale.*

Principale ? Unique ? Entre ces deux qualificatifs, il y a plus qu'une nuance : l'opposition de deux systèmes. L'économie interne du Louvre est changée, si l'on glisse d'un accès unique et obligatoire à une entrée principale, complétée d'accès secondaires.

Ainsi, subrepticement, l'hérésie se répand. Après avoir posé un principe fondamental, on le vide peu à peu de son contenu. Mais, bien qu'il soit discrètement tourné, officiellement le dogme de l'entrée unique commande toujours l'ensemble de l'organisation du Grand Louvre.

Ne vaudrait-il pas mieux regarder la réalité en face, abandonner un principe que son outrance condamne déjà et tirer courageusement toutes les conséquences de cet abandon.

Même si ce retour au bon sens doit avoir pour conséquence de réintroduire dans son corps « l'âme et le cœur du Louvre ».

VII

« LE PLUS GRAND MUSÉE DU MONDE »

Le 12 avril 1881, la Commission du budget, que préside Henri Brisson, le futur président de la Chambre, annexe au procès-verbal des débats son rapport sur le budget des Beaux-Arts. Au chapitre IX, qu'il a consacré aux Musées nationaux, le rapporteur Édouard Lockroy, député des Bouches-du-Rhône, gendre de Victor Hugo et père de « Jeanne-était-au-pain-sec-dans-un-cabinet-noir », trace un tableau pittoresque, mais inquiétant, de ce que nous appellerions aujourd'hui la « balkanisation » du Louvre :

« Dans les immenses bâtiments du Louvre, où sont entassées nos richesses artistiques les plus précieuses et les plus rares : peintures, sculptures, antiquités, etc., se trouvent, en même temps, le siège de plusieurs administrations publiques : la préfecture de la Seine, le service des Postes, le ministère des Finances, le logement de M. le Gouverneur de Paris, le logement des conservateurs du Musée et enfin, comme on le verra plus loin, le logement d'une certaine quantité de gardiens, de lingères, d'ouvriers, de domestiques, etc. C'est toute une ville, et malheureusement, une ville très peuplée.

« La Préfecture de la Seine occupe le pavillon du bord de l'eau ; les services de l'hôtel des Postes, toute l'ancienne cour des Tuileries ; le ministère des Finances, avec ses bureaux éclairés au gaz et chauffés par d'énormes calorifères, s'étend le long de la rue de Rivoli. Une partie de l'état-major de M. le Gouverneur de Paris loge sur le quai et les écuries, les magasins à fourrage pour les chevaux se trouvent au-dessous de la grande galerie de peinture ; les employés des Musées habitent au troisième étage ou dans les combles.

« De cette agglomération de monde, de logements, de foyers en activité, de lampes toujours allumées résulte un danger d'incendie perpétuel. Il semble, en effet, qu'on ait accumulé à plaisir autour des collections du Louvre tout ce qui était le plus propre à en amener la prompte destruction. Autour d'elles se trouvent concentrés, comme on vient de le voir, outre de la paille et du fourrage, les innombrables dossiers de la Préfecture de la Seine et des Finances ; la poste aux lettres, plus les calorifères, cheminées, poêles, becs de gaz, etc., qui meublent les bureaux des administrations ou les appartements des particuliers.

« Personne n'a oublié que l'année dernière le feu a déjà pris une fois à la Préfecture de la Seine. Sans de prompts et énergiques secours, le mal aurait pu devenir incalculable. Si pareil accident arrivait chez M. le Gouverneur de Paris, par exemple, ou chez un des employés du Musée, nous verrions peut-être disparaître ou notre grande galerie de peinture, ou quelqu'autre partie précieuse de nos collections. (...)

« Pour mieux se rendre compte du péril la Commission du Budget avait résolu de visiter le Louvre en détail. On s'adressa d'abord à M. le Sous-Secrétaire d'État aux Beaux-Arts, mais M. le Sous-Secrétaire d'État fit justement observer que les bâtiments civils ne relevant pas de son administration, c'était au Ministre des Travaux publics qu'il fallait demander les clefs du monument. On se retourna alors vers M. le Ministre des Travaux publics. Celui-ci, après un assez long temps répondit que toutes les clefs n'étaient pas en sa possession, le Louvre étant occupé par M. le Gouverneur de Paris, le Ministre des Finances et quelques services des Beaux-Arts. On envoya alors une requête à M. le Président du Conseil, mais le présent rapport fut terminé avant que la réponse arrivât. Voilà donc un édifice public dans lequel on ne peut pas entrer.

Il serait regrettable qu'en cas d'incendie les sauveteurs qui voudraient pénétrer dans le Louvre pour arracher au feu quelque chose de nos collections artistiques fussent obligés de se soumettre à de pareilles formalités. »

Après avoir déploré « qu'il n'existe pas au Louvre une série de sonneries d'appel qui permette de prévenir le poste central des pompiers en cas de danger », la Commission du budget a considéré « qu'il était nécessaire de préserver le Musée d'une destruction menaçante et qu'il fallait inviter le Gouvernement à prendre le plus tôt possible et dans le plus bref délai possible, les mesures commandées par la situation. Le Louvre doit appartenir tout entier à nos collections artistiques et n'appartenir qu'à elles. Les administrations, ministères, etc. mettent en danger ce palais et, avec lui, les richesses qu'il renferme ».

Ainsi que l'y invitaient Édouard Lockroy et la Commission du budget, le Louvre est donc parti à la conquête de ses frontières naturelles. L'avant-dernière étape de sa progression fut la récupération du pavillon de Flore, grâce, notamment, à une campagne du *Figaro*, conduite par M. Mazars. Ce pavillon avait été occupé en 1878 par la préfecture de la Seine, en 1893 par le ministère des Colonies, en 1915 par le service des bons de la Défense nationale, puis par les bureaux de la Loterie Nationale.

L'honneur d'avoir mené à son terme la *reconquista* du palais au profit du Musée revient à M. Mitterrand.

Par une coquetterie de l'histoire, il prit sa décision juste un siècle après que la Commission du budget eut « invité le Gouvernement à prendre le plus tôt possible et dans le plus bref délai possible les mesures commandées par la situation ».

Comme de juste, les départements du Louvre et, grâce à la libéralité de l'État, l'Union centrale des Arts décoratifs (l'UCAD) ont bénéficié de l'annexion du ministère des Finances, qui, jointe au creusement du sous-sol, augmente de 82 % les surfaces d'exposition (elles passent de 30 à 55 000 m^2) et de 160 % les « services de support ».

Cet agrandissement a eu pour conséquence une redistribution des activités que la SODETEG résume ainsi :

« Au nord-ouest, le Palais voit l'UCAD s'étendre sur une partie de l'aile de Marsan et se doter, dans le Pavillon, d'un musée de la Mode.

« Au nord, les anciens bâtiments des Finances, largement remodelés, reçoivent l'École française du département des Sculptures dans les cours couvertes et leurs espaces avoisinants, une partie des Antiquités orientales et du département des Objets d'Art, les écoles de Peinture nordique, espagnole, anglaise et une partie de l'école française — les primitifs, le XVIe et le début du XVIIe — profitant d'un éclairage zénithal créé au dernier niveau.

« La Cour Carrée continue à abriter les départements Antiques et la majorité de la Peinture française. Au sud, les Antiques (gréco-romains surtout) et la Sculpture (Italie, École du Nord) occupent les niveaux bas, tandis que la Peinture (École italienne) se déplace sur le premier étage.

« Au sud-ouest, le Cabinet des Dessins se maintient et s'étend, le reste de l'espace étant destiné, soit à la création du Centre scientifique du Louvre, soit à l'implantation de la Direction des Musées de France. »

Cette incertitude est aujourd'hui levée : le maintien sur place des administratifs de la direction des Musées a été préférée à « la création du Centre scientifique du Louvre ».

D'après le communiqué élaboré à Arcachon par les conservateurs en chef, ces remaniements auraient fait l'objet « d'un long travail de préparation, commencé dès le mois d'avril 1982 et systématiquement poursuivi à partir du mois de juin 1983 ». Il a eu pour aboutissement « un programme général (...) discuté et mis au point, portant à la fois sur la destination de l'aile du Louvre libérée par le ministère des Finances et une meilleure utilisation des espaces actuels du Musée et proposant une répartition satisfaisante des collections du Musée dans l'ensemble du bâtiment ».

Sur ce satisfecit décerné par les chefs de département aux programmateurs — et, implicitement, à eux-même — le « pré-programme » a été déclaré définitif.

Quelques mois plus tard, dans un article précité de la revue *Commentaire* (automne 1984), un conservateur s'est porté garant de la conscience avec laquelle ces études avaient été conduites : « ceux qui ont participé à la programmation du "Grand Louvre", c'est-à-dire tous les conservateurs, qui ont fourni les éléments à l'équipe de programmation, savent qu'elle a été sérieuse et complète : pourquoi des doutes sur sa valeur ? ».

Complète ? Non. En effet, lorsque le « pré-programme » fut approuvé à Arcachon par l'établissement public constructeur, la direction des Musées de France, la direction et la conservation du Louvre, les équipes d'architectes et de programmateurs, le sort du pavillon et de l'aile de Flore — ces broutilles ! — était laissé dans le vague.

Sérieuse ? N'en doutons pas. Mais, il ne suffit pas d'être « sérieux » ni même « complet » pour être convaincant.

En 1939, les partisans de la ligne Maginot auraient pu également écrire : « ceux qui ont participé à sa programmation, c'est-à-dire tous les militaires qui ont fourni les éléments à l'État-Major, savent qu'elle a été sérieuse et complète ; pourquoi des doutes sur sa valeur ? ».

Et pourtant...

On ne peut trouver mauvais que ceux qui supporteront le coût de la plus importante mutation que le Louvre ait connue depuis Napoléon III soient curieux de connaître les principes qui gouvernent la programmation du Grand Louvre.

Leur curiosité est d'autant plus vive que ce coût sera élevé.

Or, il est tacitement entendu qu'au moins jusqu'à l'inauguration de la pyramide on ne comptera pas. Certes, la chose ne s'écrit pas. Le traitement réservé au pavillon de Flore en offre, toutefois, une illustration frappante.

S'il se reporte au passage du rapport de la Cour des Comptes pour l'année 1970 qui concerne le Louvre, le contribuable ordinaire aura, en effet, bientôt compris que les responsables de la programmation du Grand Louvre n'ont pas pour souci majeur celui de la « Phynance ».

Après avoir regretté « les nombreux revirements constatés dans la politique d'aménagement du palais du Louvre (révélateurs d'un) défaut de cohérence dans les prévisions », déploré « la remise en cause complète, en 1965, du programme de présentation des collections, alors proche de son achèvement, (qui) a notamment arrêté les travaux en cours dans les ailes nord et nord-ouest de la Cour Carrée. De vastes salles, dont l'installation était presque achevée, demeurent, de ce fait, inoccupées depuis près de sept ans », bref, après avoir prophétisé, sans s'en douter, les calamités auxquelles le « Grand Louvre » n'a guère de chance d'échapper, une fois inaugurés son sous-sol et sa pyramide, la Cour des Comptes passe à l'analyse de « la rénovation du pavillon de Flore, entreprise en 1961 ».

« Les principaux marchés de gros œuvre étaient à peine passés que le ministère imposa d'importantes modifications du programme initial : construction d'un étage supplémentaire, d'une terrasse, d'un ascenseur, aménagement en sous-sol d'une galerie d'exposition.

« Moins d'un an plus tard, alors que, vu leur urgence prétendue, les travaux modificatifs étaient déjà fort avancés, le projet fut abandonné et le chantier fermé.

« Au mois de janvier 1964, la décision fut prise de créer des installations d'hébergement et un salon de thé sous le toit du bâtiment, ce qui conduisit à la construction de deux étages supplémentaires sous combles. En juin de la même année eut lieu l'installation d'urgence du groupe de *la Danse* de Carpeaux, qui, brusquement ordonnée, imposa d'importants travaux de bétonnage et de soutènement.

« En 1965, soit quatre ans après le début de l'opération, l'idée vint de supprimer le grand escalier d'apparat puis, moins d'un an plus tard, en avril 1966, on entreprit de créer un entresol dont les plans définitifs ne furent d'ailleurs arrêtés qu'au mois d'août 1967.

« On conçoit volontiers qu'un cheminement aussi hasardeux ait été fort coûteux pour les finances publiques. Le programme de 1961 était vite devenu caduc, comme les prévisions de dépenses. L'augmentation des frais réels — près de trente millions de francs — explique qu'à deux reprises, en juillet 1965, puis fin 1969, les travaux aient dû être interrompus, faute de moyens de financement.

« Là encore, il n'est pas question de mettre en cause la réussite architecturale ou fonctionnelle de l'opération, mais seulement de critiquer les improvisations successives et parfois contradictoires qui en ont singulièrement alourdi le coût. »

Comme à l'ordinaire lorsqu'elle reçoit une volée de bois vert, l'administration répond :

« Le plan sommairement défini en 1961 prévoyait l'aménagement des salles de sculpture au niveau inférieur, l'aménagement des salles de peinture au niveau supérieur et les services du laboratoire dans les combles du pavillon.

« Les grandes lignes du programme n'ont subi aucun bouleversement, mais la libération des volumes dans un bâtiment que les cloisonnements avaient rendu fort complexe a permis d'envisager et de réaliser un certain nombre d'aménagements complémentaires.

« La décision de créer des chambres d'accueil et un salon de thé sous le toit du pavillon correspond à la volonté d'organiser utilement des volumes résiduels qui ne pouvaient être affectés à un usage permanent.

« La terrasse, comme le salon de thé, est un des éléments de l'accueil du public et l'ascenseur et les escaliers qui y donnent accès ont principalement pour objet de desservir les services des niveaux inférieurs.

« Le projet d'aménagement en sous-sol d'une galerie d'expositions temporaires de sculptures qui a exigé un approfondissement du sol de près d'un mètre a, en effet, été abandonné. Mais les travaux réalisés ont transformé ce qui n'était qu'une cave en une galerie exploitable où une salle de conférences, deux bibliothèques annexes et une photothèque sont en voie d'aménagement.

« En 1961, lors de la mise au point du projet d'ensemble, le transfert du "groupe de la danse" de Carpeaux dans les salles du musée en vue de sa protection n'apparaissait pas comme une nécessité.

« Il était donc difficile de prévoir, à cette époque, les travaux de soutènement que sa mise en place a nécessités par la suite. »

Telle était la vision que l'administration avait du pavillon de Flore... en 1970.

Aujourd'hui, où la France est redevenue prospère, on s'apprête à changer tout cela : quinze ans après l'inauguration par M. Edmond Michelet, ministre d'État chargé des Affaires culturelles, de 27 salles, réparties sur les trois niveaux du pavillon de Flore, les « décideurs » du Grand Louvre pourraient entonner, bien qu'il soit rarement de circonstance dans un musée, le célèbre couplet de la chanson d'Édith Piaf : « C'est payé, balayé, oublié, je me f... du passé. »

Le Grand Louvre rend, en effet, caducs, sinon la totalité, du moins la plupart de ces aménagements : la Peinture espagnole émigre vers l'ancien ministère des Finances. Le salon de thé plongera dans le sous-sol de la Cour Napoléon. Ils seront remplacés par des ateliers, si l'on en croit les plans, à moins qu'il ne s'agisse d'espaces réservés à l'enseignement, de la bibliothèque du Louvre, voire d'ateliers d'artistes. Seule continuité de 1970 à nos jours : en dépit de « l'ascenseur et (des) escaliers qui y donnent accès », la terrasse, qui devait être, selon l'administration, « un des éléments de l'accueil du public » — à condition qu'il ait le droit d'y accéder —, continuera sa garde solitaire au-dessus du Pont-Royal et des Tuileries.

Tout en regrettant que disparaisse « des volumes résiduels qui ne pouvaient être affectés à un usage permanent » — ce salon de thé, si discret qu'il n'a jamais servi —, nous n'aurons pas la mesquinerie de demander si « l'extension linéaire du Musée réduite grâce à un regroupement des salles autour de la Cour Napoléon », dont se félicitaient les conservateurs en chef dans leur communiqué d'Arcachon, n'aurait pas souffert quelque exception, dans le cas, par exemple, d'un ensemble important de salles inauguré voici à peine quinze ans ; nous sommes prêts à admettre que les conservateurs, dans leur ardeur à bâtir du neuf, fassent table rase, non seulement des aménagements voulus par leurs prédécesseurs, ce qui est humain, mais de ce qu'ils ont eux-mêmes conçu.

A la condition, toutefois, qu'un programme approfondi donne l'assurance que « le plus grand musée du monde » cessera d'être, enfin, le Louvre de Pénélope.

La nécessité d'établir un programme, c'est-à-dire de réfléchir avant d'agir, a longtemps semblé trop contraignante à l'État constructeur : aussi, lorsqu'il entreprenait de bâtir, était-il coutumier d'extravagances qui auraient conduit tout autre que lui en moins de six mois à la faillite. Les mésaventures du pavillon de Flore sont, en effet, loin d'être uniques. Si l'on s'en tient à quelques exemples, extraits des rapports de la Cour des Comptes et relatifs à des opérations du ministère des Affaires culturelles, engagées dans un passé que l'on dit heureusement révolu, à qui reviendrait la palme ? Au Centre technique de l'Institut des Hautes études cinématographiques, qui occupait quatre jours par semaine « les locaux du cinéma "Le Ranelagh" et en permanence les caves de l'appartement mitoyen ? Les locaux s'étagent sur six niveaux, qui, d'ailleurs, ne sont pas tous exactement superposés. L'entrée est si étroite que le gros matériel doit être introduit par une fenêtre du premier (...). Il n'y a ni plateau véritable, ni auditorium, ni salle de projection disponible en permanence, à l'exception de celle qui a dû être aménagée dans une cave (...). Enfin, il est à peu près impossible de faire stationner un véhicule quelconque dans les environs immédiats ». (Rapport pour 1968). Ou doit-on plutôt couronner le roman-feuilleton de la construction du musée des Arts et Traditions populaires, tel que le résume le rapport pour l'année 1970 : « l'opération n'a cessé de souffrir de l'instabilité du programme : les modifications fréquentes incitaient l'architecte à laisser traîner en longueur la mise au point des dossiers, cependant que le conservateur mettait à profit ces délais pour perfectionner ses projets. »

Pour tenter d'assagir ces coûteuses fantaisies, les maîtres d'ouvrage sont désormais invités à s'entourer de conseillers, baptisés programmateurs, qui les aident à définir leurs objectifs et à conduire les études préalables aux projets. Un premier essai de programmation, à l'occasion de la construction du Centre Pompidou, a fait école. Le musée d'Orsay, la rénovation du musée des Arts décoratifs ont été « programmés ». Le fruit de ces premières expériences a été recueilli par une mission interministérielle pour la qualité des constructions publiques, créée à la demande de M. Giscard d'Estaing. Entre autres rapports, elle vient d'éditer un livret de 103 pages intitulé *Études préalables et programme d'une construction publique.*

Peut-être les esprits supérieurs trouveront-ils scolaires les recommandations de ce guide : est-ce vraiment la peine de rappeler que :

« Pour le maître d'ouvrage, ne pas faire de programme, c'est prendre le risque de :

— reporter ses responsabilités, qui sont essentielles, sur le maître d'œuvre ;

— créer de mauvaises conditions de dialogue ;

— perdre complètement la maîtrise des objectifs, des coûts et des délais ;

— choisir des solutions "toutes faites", souvent inadaptées ou laisser le maître d'œuvre figer trop tôt son projet ;

— s'apercevoir après coup que le bâtiment ne répond pas aux besoins et aux exigences, puisqu'ils n'ont jamais été exprimés. »

Ne tombe-t-il pas sous le sens qu'il faut arrêter *complètement* la conception avant de passer à l'exécution ?

Est-il enfin indispensable de préciser que le maître d'œuvre (l'architecte) ne doit pas se substituer au maître de l'ouvrage : « Consulté sur une base claire, il trouvera dans le programme : les intentions du maître d'ouvrage ; l'idée-force que son projet doit concrétiser ; les questions auxquelles il doit répondre ; la règle du jeu. »

Pourtant, si simplettes, voire bébêtes, que puissent paraître ces prescriptions, il est regrettable que ce guide n'ait été publié qu'en juillet 1984, c'est-à-dire un peu tard pour que les responsables du Grand Louvre s'en inspirent et tirent la leçon des cas concrets cités en exemple — le foyer polyvalent de loisirs d'Aincourt dans le Val-d'Oise, ou l'École maternelle de la Barberie à Nantes — pour résoudre les principales questions que posait leur projet.

Celle qui dominait toutes les autres était, évidemment, le mode de répartition des espaces.

Devait-on céder immédiatement aux convoitises et dire à tout un chacun : « Élargissez-vous » ?

Ou, au contraire, inviter à la réflexion, en consigner le résultat dans un rapport fixant les objectifs du programme ainsi que ses moyens, et alors seulement, distribuer les surfaces disponibles ?

On a pris le premier parti. Les espaces ont été distribués, sans attendre qu'un document sérieux présente les fruits d'une pensée collective d'ensemble. Celle-ci, dès lors, n'était plus de saison. Chacun s'est démobilisé et n'a plus songé qu'à l'aménagement de son fief ; en outre, une libre réflexion sur le devenir du Louvre se heurtait désormais aux positions acquises et aux faits accomplis.

Quitte à partager prématurément l'héritage, devait-on répartir l'ensemble des lots, bons, médiocres ou mauvais, entre la totalité des héritiers présomptifs, ou bien attribuer aux mieux placés les bons lots, pour se demander ensuite : « que faire du reste ? ».

On a pris le second parti : lorsque les sept départements eurent été largement servis, on s'est dit : « Et maintenant, que ferons-nous de l'aile et du pavillon de Flore ? »

Cependant, alors que la conception était si bien affinée que l'on ne savait pas encore ce que l'on ferait d'une aile et d'un pavillon du palais, le maître d'œuvre, M. Pei, était déjà à pied d'œuvre. Dès lors, il devenait de plus en plus difficile de savoir au juste qui concevait et qui exécutait. Si une commune de 500 habitants s'était laissé entraîner à cette confusion des genres, elle eût été sévèrement tancée — du moins avant la décentralisation. Le haut patronage étendu sur le Grand Louvre, la nécessité de permettre une inauguration à bref délai, le renom international de l'architecte excusèrent tout.

Ainsi, l'administration, au lieu de garder la liberté de manœuvre qui lui était nécessaire pour amener les futurs utilisateurs du Grand Louvre à réfléchir d'abord à son avenir, et en second lieu seulement au tracé de leurs frontières respectives, s'est lié les mains par un partage et une nomination également prématurés.

Lors du colloque d'Arcachon, l'approbation sans réserve, à l'unanimité des participants, des trois propositions majeures qui commandent le projet du « Grand Louvre » — l'entrée unique, le sous-sol, la répartition des surfaces entre les départements — a été si prompte que, dans un premier temps, cette allure foudroyante a été mise au crédit des responsables de l'opération.

Puis on a réfléchi.

Le ministère des Finances a commencé à manifester quelque inquiétude, en mesurant les conséquences inéluctables de cette hâte à atteindre le point de non-retour, sans nécessité réelle — car on voit mal qui pourrait politiquement remettre en cause l'extension du Louvre aux dépens de la Direction générale du Trésor ou des Impôts — et sans garantie de bonne fin, compte tenu de la discordance entre l'ampleur des fins et l'incertitude des moyens.

Avec les précautions qu'imposent le patronage présidentiel, l'enjeu politique, les titres des professionnels qui avaient donné leur caution solidaire, la personnalité de M. Pei, la masse des documents accumulés et la vitesse acquise, certains fonctionnaires du ministère de la Culture se sont risqués à relever plusieurs points faibles du programme : faut-il enterrer autant d'activités ? Quelle destination donne-t-on à la salle du manège ? Et le Salon Carré ? Et Flore ? Quel rôle aura l'Union centrale des Arts décoratifs dans le Grand Louvre ? Etc. Ces esprits téméraires ont posé ces questions et bien d'autres, au risque que leur tir de harcèlement qui atteignait l'Élysée à travers le Grand Louvre, ne déclenche un feu roulant dirigé vers leur modeste personne. Les réponses destinées à les rassurer renforçent encore leurs inquiétudes : « si les propositions relatives à la Cour Napoléon sont irrévocables, pour le reste, qui ne sera entamé qu'après la fin du septennat, la discussion est encore ouverte : l'imagination aura donc tout loisir de prendre le pouvoir ! ». Comment ces bonnes paroles pourraient-elles, toutefois, donner le change ? Dès l'instant où toutes les surfaces ont été distribuées, les jeux sont faits ; l'imagination ne trouvera plus à s'exercer que sur des aménagements de détail.

Les rédacteurs du décret du 2 novembre 1983, portant création de l'établissement public du Grand Louvre, qui ont cru stimuler l'imagination des concepteurs, en les invitant à créer « un ensemble culturel original à caractère muséologique », se demandent avec chagrin si la montagne n'a pas accouché d'une souris hypertrophiée. Certes, le minimum, auquel on ne pouvait décemment se soustraire, est acquis : on aménagera ces « coulisses » dont on déplore l'absence depuis plus de trente ans ; on rétablira la continuité des circuits, continuité d'ailleurs toute relative, puisque le département des Sculptures, petitement, mais non médiocrement logé depuis 1969 dans d'assez beaux espaces au pavillon de Flore, est condamné à se casser en deux, l'Italie et les écoles du Nord restant côté Seine, la statuaire française émigrant du côté de la rue de Rivoli.

Quant au reste, l'imagination des concepteurs est apparemment tout entière engloutie dans le sous-sol de la Cour Napoléon. Il suffit de comparer terme à terme les principales composantes du musée actuel et du musée futur, pour constater que le Grand Louvre ne sera que le Louvre agrandi.

Louvre actuel	Grand Louvre
Présence de la Direction des Musées de France	idem
Sept départements	idem
Structure générale des départements	idem
Espaces privatifs pour des expositions « dossiers »	idem
Conservation morcelée	idem
Présence du Musée des Arts décoratifs	idem

Quant aux rares propositions nouvelles, s'imposent-elles vraiment ?

Si favorable que l'on soit à la création de musées sur toute espèce de sujet, pourvu qu'ils aient des collections d'une importance suffisante et qu'elles soient agréablement présentées (qui blâmerait Bergerac, Boyne, près de Pithiviers, Sarlat, Oyonnax, Cosne dans l'Essonne, Savigny-lès-Beaune en Côte-d'Or, Romans dans l'Isère et Condom dans le Gers, d'avoir respectivement un musée du Tabac, du Safran, de la Pêche en eau douce, du Peigne et du Plastique, de la Machine à écrire, de la Moto et de l'Armagnac), était-il prioritaire, dans ce Grand Louvre que l'on dit déjà surencombré, de créer un musée de la Mode, alors qu'il existe déjà au palais Galliera un musée de la Mode et des Costumes, dépendant de la ville de Paris ?

Même si les ateliers d'artistes sont en nombre insuffisant à Paris, entre-t-il dans les missions du Grand Louvre de devenir une succursale de la Villa Médicis, ainsi que le suggère le délégué aux Arts plastiques, qui a de fortes chances d'être entendu. Parce qu'il y a deux siècles Hubert Robert et Fragonard travaillaient au Louvre avec leurs élèves, faut-il y aménager des « lieux d'hébergement pour les artistes » ainsi qu'une salle d'exposition pour leurs œuvres ? Le Louvre n'est pas Beaubourg. Est-il bien sérieux, à l'instant même où, au bout d'un siècle d'efforts, le départ du ministère des Finances donne enfin à l'ensemble du palais son unité, de la réentamer par l'autre bout, du côté de l'aile de Flore ?

A cette somme déjà considérable d'objections et de réserves, s'ajoute enfin le mécontentement de certains professionnels — et non des moindres — de la conservation.

Au premier abord, il surprend : les conservateurs du Louvre ne devraient-ils pas être satisfaits des avantages qu'ils ont obtenus ? Si on leur avait annoncé que la surface de leurs départements progresserait d'un tiers et qu'en luttant pied à pied ils soient parvenus à arracher à l'administration un accroissement de moitié, ils auraient célébré ces 50 % comme une grande victoire. Or, sans coup férir, on leur octroie un accroissement global de 75 %. Pourquoi cette grogne, au vu de chiffres dont les plus faibles sont encore conséquents ?

Surfaces totales (salles, réserves, bureaux, etc.)

Importance de l'accroissement	Départements	Louvre actuel (en m²)	Grand Louvre (en m²)
— de 30 %	Antiquités grecques et romaines	8 037	10 226 (+ 27 %)
de 40 à 50 %	Antiquités orientales	4 140	6 079 (+ 47 %)
	Cabinet des Dessins	1 472	2 191 (+ 49 %)
environ 50 %	Antiquités égyptiennes	4 366	6 622 (+ 52 %)
+ de 70 %	Peintures	13 014	22 845 (+ 75 %)
	Objets d'art	4 457	7 873 (+ 76 %)
+ de 100 %	Sculptures	4 327	9 786 (+ 131 %)
	Total des sept départements	39 813	69 675 (+ 75 %)
	Union centrale des Arts décoratifs	7 488	12 868 (+ 72 %)

On se ferait, toutefois, une opinion bien peu flatteuse des conservateurs du Louvre et de l'Union centrale des Arts décoratifs, si on les croyait exclusivement intéressés, telles les grenouilles de la fable, par l'accroissement de leurs surfaces : sans doute sont-ils satisfaits de pouvoir exposer des pièces importantes qu'ils gardaient en réserve — encore que certains départements, comme les Peintures, n'aient négligé aucune occasion de dégonfler le mythe des

« greniers du Louvre », en rappelant qu'une politique généreuse de dépôts en province et même à Paris, étendue sur plusieurs générations, ne leur avait guère laissé que le volant nécessaire pour combler les vides laissés par les expositions, ainsi qu'un résidu inexploitable de tableaux ruinés, de copies et de croûtes. Au demeurant, même en admettant que ces réserves soient pléthoriques, les conservateurs ne sont pas à ce point obnubilés par les mensurations de leur département, qu'ils perdent de vue l'intérêt du public et s'imaginent que grandir est une fin en soi.

Comme le devoir de réserve s'impose à eux (sauf lorsqu'ils approuvent officiellement les projets de l'administration), ils n'ont, toutefois, guère l'occasion de se disculper auprès du public de la boulimie qu'on leur prête. Mais si certains d'entre eux, et non des moindres, étaient invités à dire le fond de leur pensée sur ce programme de gonflement maximum sur la base d'une réflexion minimale, sans doute ne les trahirait-on pas en leur faisant tenir le langage suivant :

« On a parlé de tout : du nombre des salles de traduction simultanée et de colloques en sous-sol, du Louvre des enfants et des paniers-repas, de l'infirmerie à deux places séparées par un rideau, des consoles informatiques dispensatrices de savoir, des voies d'accès et des frigos, des allées centrales et des ventilations, de tout un sous-sol épique et héroïque. Mais pas de l'essentiel : notre Louvre, que veut-on en faire ? Le Louvre, pourquoi et pour qui ? Faut-il le bourrer indéfiniment jusqu'à l'apoplexie ? Allonger les parcours, démultiplier les escalators, aligner les m^2, les salles, les circuits de salles ? Dire et redire : nous sommes le musée du monde le plus beau, le plus riche, le plus complet, le plus grand, *the biggest in the world,* mais aussi le plus long, le plus sale, le plus épuisant, le plus coûteux ? Ce musée est-il encore fait pour un visiteur normal ? Ou n'est-il qu'une sorte d'orgueilleux mausolée-catafalque pour civilisations mortes ? Musée de mort ou de vie ? Musée à ouvrir ou à fermer ? A décourager ? A enterrer ? »

Si l'on avait pris le temps de procéder par ordre, donc de s'interroger sur le « pourquoi ? », avant de passer — sans d'ailleurs s'y attarder — au « comment ? », on aurait soumis à l'examen collectif des responsables des départements une série de questions, dont on découvre, mais un peu tard, l'importance aujourd'hui.

Ainsi, pour s'en tenir à cet exemple, au lieu de répartir prématurément les surfaces, il n'aurait pas été superflu de s'interroger sur l'adaptation des volumes aux circuits envisagés : d'après certains spécialistes, les salles du dernier étage de la Cour Carrée seraient trop basses pour permettre de déployer la peinture française du XVIIIe et, notamment, les grandes toiles de Ménageot, Suvée ou Vincent, ces peintres d'histoire chers au comte d'Angiviller, le surintendant des bâtiments de Louis XVI, qui ont leur place marquée dans un panthéon de la Peinture française. Ne convenait-il pas de vérifier attentivement le bien-fondé de cette objection, plutôt que de répondre à l'emporte-pièce qu'« on pourra toujours faire varier les hauteurs des salles selon les formats ! »

Sur un plan plus général, d'autres professionnels, d'un talent et d'une expérience également reconnus, ont fait observer que le programme « définitif » traite le Musée comme un bloc, aussi radicalement coupé de son contexte que la pyramide de M. Pei, de son environnement. Or le Louvre n'est pas un vaisseau fantôme, qui poursuivrait sa navigation solitaire, avec pour tout équipage un noir nocher hollandais ; s'il est vaisseau, c'est un vaisseau amiral, entouré d'une flottille de bâtiments de tonnage varié, baptisés « Jeu de Paume », « Palais de Tokyo », « Orangerie », « Beaubourg », « Orsay ». Ses évolutions déterminent dans une large mesure les leurs et réciproquement. Certes, tout ne peut être repensé à propos de tout. Pourtant, si la création artistique se développe et se renouvelle dans un fondu enchaîné, où toute coupure peut sembler arbitraire, le Grand Louvre n'offrait-il pas l'occasion de s'interroger sur la répartition des collections, telle qu'elle avait été arrêtée entre le premier des musées nationaux et ses satellites, lorsque le départ du ministère des Finances n'était encore qu'un vœu pieux. Ce réexamen des frontières s'imposait, notamment, entre le Centre Pompidou et Orsay (les Fauves, voire les cubistes ne passeront-ils pas bientôt de l'un à l'autre ?) puis entre Orsay et le Louvre : Orsay aura un peu d'Ingres et un peu de Delacroix, mais l'essentiel de leur œuvre restera au Louvre, tandis que celle de Courbet, point d'aboutissement de toute une tradition de la peinture française, s'en ira, coupée de tout contexte, à Orsay. Quant aux ingresques et aux néo-Romains, Flandrin ira au Louvre, car il peignit beaucoup sous Louis-Philippe, mais pas Amaury-Duval, ou Lehmann, ses exacts contemporains...

Ainsi « saucissonne »-t-on l'École française du XIXe siècle : au Louvre jusqu'à 1850 environ. Après 1850, à Orsay. La peinture du Second Empire quitte le Louvre du Second Empire pour émigrer dans une gare 1900. N'aurait-on pas dû étudier le report aux débuts de l'impressionnisme de cette césure de 1850, qui avait été adoptée lorsque le Louvre n'avait pas encore grandi ? A la fois pour l'intelligence de l'art de l'époque et pour le plaisir du visiteur, ne convenait-il pas de rassembler les *disjecta membra* de cette peinture, écartelée entre la rive droite et la rive gauche de la Seine ?

Mais Orsay était pressé. Le Grand Louvre aussi.

L'histoire des collections, avec son alternance d'intelligence et d'oubli, inspire, par ailleurs, des réflexions inquiètes sur les missions que l'on assigne au Grand Louvre.

On eût sans doute bien étonné le frère de l'empereur Rodolphe de Habsbourg, l'archiduc Ferdinand de Tyrol, si l'on avait émis quelques critiques sur le cabinet de Curiosités qu'il avait constitué, vers 1570, dans son château d'Ambras près d'Innsbruck. Aurait-il compris que le *nec plus ultra* de l'amateur d'art n'était pas d'entasser les hanaps et les œufs d'autruche, les tapisseries de haute-lisse et les cornes de licorne ?

Peu à peu, pourtant, d'autres collectionneurs s'attachèrent non plus à des curiosités singulières, mais à des séries d'œuvres d'art qu'ils groupèrent par Écoles. Telle que nous la connaissons par la gravure, l'ordonnance de la Galerie de l'Empereur Charles V à Vienne, vers 1730, regroupe les Italiens avec les Italiens, les Flamands avec les Flamands, etc. Il en va de même du Louvre de Vivant Denon.

On ne comprenait pourtant pas encore à l'époque de Vivant Denon que l'Art et la Science n'étaient pas antithétiques : comme la place d'un astronome était sous la lunette de son télescope, ou celle d'un pharmacien au milieu de ses bocaux, seul un artiste — et, si possible, un artiste peintre — semblait qualifié pour conserver des tableaux : le peintre de paysages Von Dillis à Munich, sous le Ier Empire, Charles Eastlake à la National Gallery de Londres, Granet au Louvre, puis à Versailles, Forbin à la tête des Musées royaux. Il eût semblé bizarre qu'un musée ne fût pas seulement un lieu de délectation, mais un laboratoire et une École.

La passion de tout enseigner et de tout apprendre, qui fit du XIXe siècle le siècle didactique par excellence, conduisit, toutefois, à faire comprendre et admettre qu'un musée devait avoir une double fonction : présenter des œuvres, mais aussi enseigner.

Lorsque Édouard Lockroy dans son rapport à la Chambre des députés sur le budget des musées pour l'année 1882 écrivait « Les musées ne doivent pas se composer purement et simplement de collections artistiques ; ils doivent devenir en même temps, autant que possible, des écoles pour les artistes, les antiquaires, les travailleurs de toutes les classes », il résumait un courant de pensée déjà sensible au début du siècle, par exemple, dans le rapport de J. Chaptal sur les musées de province (1801).

La création de l'École du Louvre, en 1883, répondit à la même intention : elle avait pour double mission de former les conservateurs et d'initier aux œuvres d'art le public le plus large. Elle se proposait d'être à la fois « l'École d'Administration des Musées » et « l'École pratique des Hautes Études artistiques ».

De même, à l'imitation des Allemands, ces maîtres incontestés de l'érudition et de la recherche, on comprenait la nécessité d'organiser rationnellement le travail des conservateurs : la disposition des lieux ne devait pas être un obstacle à la circulation des idées. On regroupait donc leurs bureaux. On les dotait d'instruments de travail appropriés ; les conservateurs disposaient notamment d'une bibliothèque aisément accessible, où ils pouvaient consulter les livres en accédant aux rayons.

Certains amateurs contribuaient, enfin, par des initiatives originales, à donner à la toute jeune histoire de l'art les moyens qui lui permettraient de faire ses preuves. Le couturier Jacques Doucet créait sur ses fonds propres la Bibliothèque d'Art et d'Archéologie. Bien conseillé, il comprit l'un des premiers le rôle vital de la photographie pour l'histoire de l'art : il acheta des tirages des collections de Braun, Bulloz, Giraudon-Alinari, fonda son propre laboratoire, envoya ses photographes en mission et rassembla entre 1909 et 1914 près de 200 000 photographies d'œuvres d'art.

Livres et photographies étaient heureusement associés dans chacune des vingt-quatre pièces des cinq appartements où était installée sa bibliothèque, à proximité de son domicile, rue Spontini, et qui formaient autant de sections (Égypte, Extrême-Orient, Moyen Age, Paris, etc.). Autre détail essentiel, qui évoque les merveilleuses bibliothèques américaines d'aujourd'hui, sa bibliothèque était ouverte de 9 heures du matin à 8 heures du soir et permettait la consultation directe : chaque lecteur se servait lui-même. Ce précurseur d'une extraordinaire ouverture d'esprit créait, enfin, comme un sous-produit naturel de son fonds, une bibliographie internationale courante, le *Répertoire d'Art et d'Archéologie :* le Centre national de la Recherche scientifique, en a pris aujourd'hui la charge.

Lorsque éclata la guerre de 1914, Doucet employait 25 personnes ; son budget annuel était évalué à un million de francs-or. Ses collections, constituées en quelques années, comprenaient 100 000 imprimés, 500 manuscrits, 200 000 photos, 10 000 estampes, 2 000 recueils gravés, 1 500 dossiers documentaires, composés principalement d'autographes.

Tandis que, dans les musées comme dans cette bibliothèque hors-ligne, l'histoire de l'Art acquérait droit de cité, la nécessité, encore si bien comprise une génération plus tôt, de soutenir l'attention du visiteur, d'éclairer son jugement, d'affiner son goût en lui offrant des salles où les œuvres seraient regroupées de façon à la fois agréable et intelligible était, toutefois, peu à peu perdue de vue. On revenait trois cents ans en arrière, au temps du capharnaüm de Ferdinand de Tyrol.

« Parcourez les salles de peinture (du Louvre), écrit Gustave Larroumet dans *L'Art et l'État en France* (1895) : dès l'entrée, la salle Henri II vous offre une prodigieuse salade d'œuvres et de noms : Girodet, Courbet, Ingres, Diaz, Chassériau, Bénouville y figurent côte à côte. Mais dira-t-on, c'est ici une salle sacrifiée. Il y a là pourtant quelques œuvres qui mériteraient un meilleur traitement.

Continuez la promenade, et passez dans la salle Duchâtel. Vous y trouvez la *Source* et le *Sphynx* d'Ingres, avec des Luini, des Memmling et des Antonis Moor. Comptez ce que cela fait de siècles, d'écoles et de pays. Pourquoi ces toiles d'Ingres sont-elles séparées des autres œuvres du même maître ? (...) Dans la grande galerie, qui offre sur ses immenses parois toutes les facilités de classement méthodique, pourquoi l'École française du XVIe siècle succède-t-elle aux Écoles italiennes et espagnoles ? (...) Ce désordre n'a d'autre motif que d'exister depuis longtemps. »

Même encombrement et même disparate dans le département des Antiques : « La salle des Colonnes, écrivait l'éminent conservateur des Antiquités égyptiennes Georges Bénédite, dépassait, à ce point de vue, tout ce qu'on peut imaginer. Les hommes de ma génération sont peut-être à l'heure actuelle les derniers à se rappeler ce qu'elle était devenue (...) Quatre armoires gigantesques, cédées par le musée de la Marine et conçues pour contenir des modèles de bateaux ou de gros engins, appliquées contre les murs et masquant l'ordonnance des pilastres géminés qui décorent la salle, abritaient sous leurs glaces ternies les collections de papyrus grecs, démotiques, coptes et arabes, achetées dans les dernières années. Au centre, la grille octogonale qui formait une barrière autour de la statue de Nesihor était devenue un entrepôt de cercueils de toutes les époques. »

Assaillis de critiques, les conservateurs se ressouvinrent peu à peu que la nécessité de doter le musée d'espaces qui lui permettent de jouer son rôle d'institution scientifique n'excluait pas qu'il fût également agréable à visiter. Un immense travail de réorganisation fut entrepris à partir des dernières années du XIXe siècle. Plus de 20 000 objets furent déplacés dans le seul département des Antiquités égyptiennes.

L'aboutissement de cet énorme effort fut le plan de

réorganisation des sept départements, arrêté par Henri Verne entre 1927 et 1929.

Les responsables de cette réorganisation complète du Louvre avaient-ils, toutefois, compris que l'on entrait dans le temps des musées vedettes et de leur invasion par les foules pressées des « Grands Tours », qui comptent bien « abattre » dans leur matinée la Sainte-Chapelle, le Louvre, ainsi qu'une promenade en car à travers le quartier du Marais ? On peut en douter. Ils en étaient, apparemment, restés à ce temps charmant où un grand amateur, Strauss, accompagné de son petit-fils et d'un gardien, traversait les salles d'un pas gaillard pour essayer lui-même à *la Bohémienne* de Franz Hals un cadre qu'il venait d'acheter de ses propres deniers.

Aussi, d'abord à petit bruit, puis de plus en plus fort, on s'est plaint que, dans ce « théâtre », on ait oublié les coulisses : ascenseurs, vestiaires, cabines de téléphone, réserves, ateliers et tutti quanti.

Aussi, les programmateurs du Grand Louvre ont-ils fait l'impossible pour réparer cet oubli. Même si, notamment pour les ateliers (faut-il faire aussi peu de cas des sous-traitances ?) la dose a sans doute été forcée, ne nous en plaignons pas.

Mais, au moment où ils comprenaient ce que les générations précédentes avaient oublié, ils oubliaient ce qu'elles avaient compris : la double mission du Louvre, délectation et recherche.

L'esprit qui vivifie l'intelligence des œuvres d'art a donc été mis sous le boisseau. On a hypertrophié les membres et l'estomac d'un géant microcéphale.

Une occasion unique, après avoir été distraitement caressée, a été bien vite abandonnée. La Bibliothèque Doucet, ses 400 000 volumes, ses 90 000 catalogues de vente, ses 4 400 périodiques, meurt lentement dans des locaux vétustes, mal adaptés, exigus, rue Michelet. Son annexion par le Grand Louvre la sauvait. En échange, elle lui faisait le cadeau royal d'un capital scientifique de premier ordre. Mais, comme ces notables des chefs-lieux de province, qui, au XIXe siècle, écartaient avec mépris la seule éventualité d'être desservis par le chemin de fer, afin de rester entre soi, il a été jugé que le Grand Louvre, s'il était assez grand pour accueillir un « restaurant Grande Carte », des ateliers d'artistes, un musée de la Mode, était bien trop petit pour s'ouvrir à la bibliothèque Doucet, cette étrangère.

Cependant, le J.-P. Getty Trust a entrepris depuis quelques années la création d'un centre d'études spécialisé en histoire de l'Art et doté de moyens immenses. Il achète en bloc, à leur mort, la documentation d'éminents historiens : le plus grand spécialiste hollandais de la peinture du XVIIe siècle, J. Van Gelder, ou le prestigieux directeur de l'Institut allemand de Florence, Ulrich Middeldorf. Dans quelques années, ce fonds déjà considérable sera implanté près de la fameuse université UCLA de Los Angeles, riche de 5 millions de volumes. Le but poursuivi par la France et, en particulier, par les Musées, est-il de dépenser le temps et l'argent dont ils disposent à des audaces de façade, cachant une réalité stagnante, alors que, de l'autre côté de l'Atlantique, avec l'assistance de l'informatique, se constitue un formidable instrument documentaire qui s'ajoute à ceux de Washington et de Princeton ?

A défaut de sauver la Bibliothèque Doucet, on aurait pu concevoir que l'École du Louvre ne soit pas reléguée hors du Louvre. Il faut rendre cette justice au président de l'établissement public du Grand Louvre et aux programmateurs qu'ils ont milité pour cette réintégration : ils considéraient avec raison que l'originalité de « l'enseignement du Louvre », sa marque spécifique, qui le distingue des 16 unités d'histoire de l'art implantées à Paris, tenait à ce qu'il était donné au voisinage des œuvres ; cette École en pleine cure de jouvence, avec sa bibliothèque de 44 900 volumes, qui s'accroît au rythme de 2 500 à 3 000 par an, ses colloques, ses cycles de cours théoriques et pratiques, ses cours d'été, fait honneur au Louvre. Elle lui doit son dynamisme. Hors de lui, elle se perdrait. Mais elle est aussi dynamisme pour le Louvre. Toutefois, même agrandi, le Louvre était encore trop petit pour cette École conçue pour vivre en osmose avec lui. Elle ira donc on ne sait trop où, avec, pour le principe, dans le Grand Louvre une enclave de... 1 700 m². Peut-être, si elle sait être accommodante, pourra-t-elle également occuper de temps à autre les salles de colloques, qui dépendront de la direction de l'Animation.

Enfin, si la recherche n'avait pas été traitée en parent pauvre, on aurait prêté attention à la nécessité de regrouper les conservations comme autrefois, mais avec des moyens modernes et des espaces suffisants, afin de permettre à nouveau des échanges entre collègues des différents départements (les Peintures, par exemple, ont besoin des Antiques pour leurs recherches iconographiques), enrichir la formation des stagiaires, entretenir cet « esprit de corps », qui, s'il peut conduire à certains excès, n'en a pas moins ses vertus, enfin, éviter les doubles et triples emplois. Que n'a-t-on imité, même de loin, le complexe munichois de la Meiserstrasse placé à proximité immédiate du musée, mais hors des salles, où tout contribue à la commodité et à l'efficacité des chercheurs.

Veut-on un renseignement, chercher un livre, consulter une radio, restaurer une œuvre ? On y trouve tout, rationnellement regroupé : on a à la fois sous la main une (excellente) conservation, une documentation, une bibliothèque, un atelier de restauration, un laboratoire, un institut d'enseignement et de recherche universitaire — et ainsi de suite. Clarté d'accès, facilité de gestion, regroupement valorisant.

Conservations dispersées, bibliothèque en sous-sol, laboratoire en un autre endroit : tel sera le lot des conservateurs du Grand Louvre. L'occasion d'organiser une conservation moderne n'a pas été saisie.

Faute de temps, sans doute. Mais aussi parce que la double mission d'un musée a été perdue de vue.

Faut-il ne réparer un oubli que pour en commettre un autre ? Durant près d'un demi-siècle, on a déploré que le Louvre soit « un théâtre sans coulisses ». Va-t-on maintenant, et pour longtemps, dire du Grand Louvre : « Tout pour la montre. Rien pour l'esprit. »

D'autres observateurs enfin, fondent leurs critiques sur une comparaison entre l'immobilisme du Grand Louvre et l'esprit d'innovation dont fait preuve son voisin immédiat, le futur Musée d'Orsay.

Lors d'un récent colloque organisé par l'École du Louvre, le principal responsable scientifique d'Orsay, M. Michel Laclotte a rappelé que son équipe se propose de donner au public une vision globale de l'Art de 1848-1850 :

« Depuis l'origine du projet, il est prévu de montrer l'art de cette période à travers toutes les techniques : peinture, sculpture, arts décoratifs, arts graphiques (estampe, dessin, pastel, affiche, etc.), évidemment, mais aussi les formes d'art figuratif nées au XIXe siècle (photographie, cinématographe), et aspects de la création rarement associés aux arts "traditionnels" dans les musées analogues (architecture et urbanisme) et qui ne peuvent être illustrés complètement par les œuvres elles-mêmes (comme c'est le cas pour la peinture et la sculpture), mais par des *équivalences* (projets, photos ou films, maquettes modernes). Littérature et musique seront évoquées dans leurs rapports avec les arts figuratifs et l'ensemble de la présentation situé dans le contexte historique et "socio-culturel" de l'époque.

« Le programme prévoit, non un vaste "melting pot" synthétique, mais une fragmentation, une juxtaposition. Sur les trois niveaux du musée, le parcours de la visite se fera à travers une succession de groupes de salles (chacun nettement différencié architecturalement) correspondant à autant de "séquences" de la démonstration d'ensemble, séparant le plus souvent les unes des autres les techniques, ainsi que les tendances stylistiques opposées (...) isolant zones "didactiques" et "dossiers". C'est de la visite complète du musée et des multiples facettes qu'il propose, que doit naître une vision générale synchronique, non de chocs antagonistes ponctuels. »

On voit d'où souffle le vent : Michelet s'était donné pour but « la résurrection de la vie intégrale ». Avec d'autres méthodes que celles du lyrique chef de la section historique des Archives, mais, somme toute, dans le même esprit, la nouvelle École française des Le Goff, des Duby, des Goubert, des Delumeau a une approche globale de l'histoire. Longtemps, leurs recherches interdisciplinaires, qui ont permis de mettre en lumière les rapports étroits qu'entretiennent l'économie, les structures sociales et la vie culturelle et, d'autre part, les travaux des historiens d'Art ont semblé non seulement s'ignorer, mais s'exclure : si l'on admet qu'« un artiste est un envoyé des dieux », ainsi que le pensait Charles Morgan, ou encore, selon André Malraux, que « le seul domaine où le divin soit visible est l'art », on conçoit que le dialogue entre les représentants de ces deux histoires, celle des hommes ordinaires et celle des hommes de l'art, apparaisse à peu près aussi impossible que celui d'un sociologue et d'un métaphysicien.

Dans un esprit incomparablement plus systématique que ses prédécesseurs (le musée de la Civilisation gallo-romaine, à Lyon ; le musée des Antiquités nationales à Saint-Germain-en-Laye ; l'esquisse d'un musée du Moyen Age, à Paris avec Cluny ; de la Renaissance, à Écouen), le musée du XIXe siècle a entrepris de nouer ce dialogue.

Ce Musée « globalisant » sera-t-il fécond ou lassant ? Nous pourrons en juger d'ici deux ans. Mais, dès à présent, il administre la preuve que les œuvres ne sont pas rivées une fois pour toutes à leur place administrative, comme des moules sur leurs rochers.

En douterait-on que le Centre Pompidou en fournirait un nouvel exemple : le Musée d'Art moderne a été détaché de la direction des Musées de France et le Centre national d'Art contemporain, du service de la création artistique. Dans un premier temps, leurs documentations ont été fusionnées. Par la suite, leurs collections et leur personnel ont été amalgamés. Nous ne portons pas de jugement sur le résultat. Nous constatons le fait.

Douterait-on encore de cette plasticité des musées que l'histoire du Louvre, du début du XIXe siècle au lendemain de la Libération, en apporterait la démonstration.

Sous le règne de Vivant Denon, ses départements n'étaient que trois : peintures, sculptures antiques, dessins (y compris la chalcographie).

En 1826, les Antiques se divisent en « monuments grecs, romains et du Moyen Age », et en « Égypte et Orient ».

En 1852, se détachent des Antiques les objets d'art du Moyen Age, de la Renaissance et des Temps modernes. En 1854, ils sont rattachés au département des Sculptures.

En 1871, on crée le département des Sculptures et Objets d'arts du Moyen Age, de la Renaissance et des Temps modernes et en 1881 les Antiquités orientales.

En 1886, la céramique antique est détachée des Antiquités grecques et romaines, rattachée aux Antiquités orientales, redétachée en 1926 pour être rendue à ses premiers propriétaires.

En 1893, le département des Sculptures et Objets d'arts se coupe en deux, les objets d'art comprenaient alors l'Islam et l'Extrême-Orient.

Encore ne parle-t-on pas des départements ou musées qui ont été supprimés : les Musées algérien, mexicain, américain « encore assez peu garnis », mentionnés dans *Paris-guide* de 1867, ou le musée des Souverains, consacré aux bijoux de la Couronne et aux trésors des rois de France, supprimé en 1871. D'autres ont émigré : le musée de la Marine et d'Ethnographie quitte le Louvre en 1937 ; les collections d'Extrême-Orient rejoignent le musée Guimet en 1945.

Ce rappel historique ne signifie pas que le Grand Louvre doive être un *perpetuum mobile.* Pourquoi par exemple ne pas maintenir la galerie d'Apollon dans sa séculaire et splendide affectation ? La conservation intégrale de ce monument historique s'impose au même titre que des ensembles aussi prestigieux que les salons de Versailles.

En revanche, il n'est pas contraire au droit des gens d'opérer des modifications de frontières dans les départements du Louvre.

Or, le programme du Grand Louvre semble avoir été élaboré avec, pour condition préalable, unanimement admise, voire exigée, le respect d'une Charte qui porterait en exergue :

Grandir, oui !
Changer, non !
Émigrer, jamais !

Entre l'agitation brouillonne et un fixisme total, n'y a-t-il pas un moyen terme ?

La direction des Musées de France a formellement demandé à rester sur place, appuyée, dit-on, par la conservation. Soit ! Mais la direction des Bibliothèques n'est pas établie à la Bibliothèque nationale ; l'Assistance publique ne loge pas à l'Hôtel-Dieu.

Les conservations ont perpétué le *statu quo*, appuyées, dit-on, par l'administration. Soit ! Mais les structures du Grand Louvre du XXIe siècle doivent-elles être rigoureusement identiques à celles du « Louvre de papa » ?

Chacun sait depuis longtemps que la présence dans le même palais de deux ensembles qui se complètent et s'ignorent, le musée des Arts décoratifs et le département des Objets d'art, n'est pas satisfaisante. Leurs collections deviennent mitoyennes : les unes et les autres communiqueront, au premier étage de l'aile des Finances. Pour négocier leur alliance, voire leur fusion, maintenant que le programme définitif est adopté, le ministère de la Culture s'est privé de l'atout que représentait dans les discussions avec l'Union centrale des Arts décoratifs la perspective d'un accroissement de ses espaces, puisqu'elle a déjà obtenu une augmentation de 72 %.

Autre séparation sur laquelle on aurait pu réfléchir : les sculptures et les objets d'art relèvent de départements distincts. Est-ce à dire que les sculptures ne sont pas des objets d'art ? Faut-il les séparer de ce que les Allemands nomment la « petite plastique » ainsi que des meubles à relief ? Est-il raisonnable que, notamment pour la Renaissance, la production d'un même artiste soit partagée entre deux départements, selon la hauteur des œuvres ? Certains ivoires du XIIIe siècle, qui sont des œuvres monumentales « miniaturisées », sont exposées dans les salles des objets d'art. S'ils sont plus hauts, ils accèdent aux sculptures. Ce parti, à la longue, fausse le raisonnement. Ainsi s'est imposée l'idée qu'il existait deux catégories d'artistes, les uns spécialisés dans la sculpture, les autres, dans la taille de l'ivoire, alors que ce sont les mêmes. L'histoire de l'art est mutilée, l'histoire, faussée ; le public, étonné, est mis dans l'impossibilité d'établir un lien entre des œuvres proches, mais devenues citoyennes de deux pays différents de « l'univers muséal ».

Allons plus loin : jusqu'au Musée d'Orsay, à 500 mètres du Louvre. 500 mètres ? ou 500 années-lumière ? Que l'expérience d'Orsay ne soit pas transposable aux départements des Antiques, qui ont leur cohérence, ni au département des Peintures, lequel retrace, de Poussin à Corot, une succession d'aventures intérieures, on peut l'admettre. Mais pourquoi n'envisagerait-on pas que les départements des Objets d'art et des Sculptures s'associent pour offrir au visiteur, comme des « Musées de civilisation », une vision globale d'une époque, sans que pour autant la perception artistique de l'objet en soit amoindrie. Le public s'y sentirait à l'aise. L'histoire n'y aurait rien d'obsédant : elle serait la trame qui sous-tend la présentation des œuvres, permet de mieux les saisir et enrichit leur signification.

Allons plus loin encore — cette fois, non pas dans l'espace, mais dans le temps — et essayons d'imaginer le proche avenir des musées parisiens.

Croit-on qu'il n'y aura plus de grands projets ? Pourquoi non ? Comme « le Musée du XXe siècle », dont André Malraux voulait confier la construction à Le Corbusier, annonce le Centre Pompidou, ou comme l'évacuation de Flore présage à quinze ans de distance celle du ministère des Finances, il est probable qu'un jour l'idée d'un grand Musée des Arts, du Meuble et du Décor aura fait son chemin et sera réalisée. Il pourrait couvrir la sculpture et le bronze ; les collections d'art musulman viendraient s'y insérer harmonieusement ; il s'articulerait par rapport au vieux Musée de Cluny et à sa jeune annexe d'Écouen ; il prendrait en compte le Moyen Age, les temps dits modernes, du XVIe au XVIIIe siècle, le XIXe, et plus encore l'« Art déco » des années 1920-1930, dont personne ne s'occupe.

Est-ce un rêve ? Plus vraisemblablement, la réalité de demain. On finira bien par trouver incohérent qu'Orsay s'intéresse aux objets d'art de la seconde moitié du XIXe siècle, tandis que les « Arts Déco » remplacent le Louvre pour la période romantique, doublent Orsay pour la IIIe République, remplacent Beaubourg pour le XXe siècle. On éprouvera le besoin de réunir ces efforts, qui s'exercent aujourd'hui sans plan d'ensemble et sans liens.

Il va de soi que l'organisation du Grand Louvre ne sera pas exactement la même, si elle n'est que la transposition agrandie et *ne varietur* des sept départements du plan Verne, tel qu'il est décrit dans *l'Illustration* du 21 décembre 1929, ou si l'on prévoit qu'après avoir perdu en un siècle ses masques africains, ses maquettes de bateaux, ses antiquités gauloises, ses potiches de Chine, ses sagaies et ses Bouddhas, il sera inéluctablement conduit à s'alléger encore. Parce que tel ou tel de ces départements (les Sculptures, par exemple) n'y sera jamais vraiment à l'aise. Parce qu'en s'agrandissant, il ne doit pas ressembler aux « cent-portes-cent-couloirs-cent-salles » du Museum of Art de Boston, ni au fourre-tout proliférant de Philadelphie. Il est, au contraire, vital qu'il s'aère et soit d'un abord plus agréable. Plus homogène, plus facile à garder en mémoire. Plus humain.

Est-ce bien la peine de parler à tout instant de « prospective » pour en faire si peu ?

Le destin du « plus grand musée du monde » est-il de grossir, grossir, encore et toujours, jusqu'à ce qu'il éclate ?

VIII

FERMÉ !

On se souvient sans doute encore de l'humiliation qu'a essuyée, il y a près de deux ans, au nom de la France, la joyeuse troupe qui anime depuis 1981 notre Illustre Théâtre culturel.

Cette Exposition universelle que l'on nous promettait et qui était destinée à fêter le bicentenaire de la Révolution, quelle *fiesta* elle devait être, quel *look* elle donnerait durant six mois à la Ville-Lumière, grâce à la succession ininterrompue de ses *shows !* Seuls des esprits maladivement chagrins pouvaient bouder le programme de ses largesses : elle occuperait 131 hectares à l'ouest et à l'est de Paris ; renouvelés du radeau construit pour les deux empereurs sur le Niemen à Tilsitt, deux pavillons flottants, le pavillon d'honneur et celui de la France, jetteraient l'ancre au pied de la Tour Eiffel, à quelques encâblures de l'île des Cygnes. Sur la rive opposée, des informations en provenance du monde entier ainsi que les nouvelles de « l'Expo », centre provisoire de l'univers, seraient projetées sur un mur audiovisuel géant. Quai de Javel, à l'emplacement des anciennes usines Citroën, 60 à 70 pavillons étrangers formeraient une haie d'honneur, de part et d'autre de « l'allée des Nations ». De là, une flottille d'hydroglisseurs, des coches d'eau, des petits trains aériens, les wagonnets d'Aramis, notre « minimétro Matra », ou un TGV miniature tournant sur le circuit de la Petite Ceinture, emporteraient les visiteurs, avec la vitesse d'une navette « spatiale », de l'ouest à l'est de Paris. L'enchantement se poursuivrait dans cet autre hémisphère : aux grands pavillons thématiques (écologie, droits de l'homme, science) succéderaient — *panem !* — les pavillons des grandes firmes, et — *circenses !* — des activités « ludiques ». Certes, ce déferlement de merveilles ne serait pas positivement donné. Il en coûterait 15 milliards à la collectivité publique. Mais en admettant que chaque visiteur dépense 350 F — soit la modique somme de 1 750 F pour la visite d'un ménage moyen, escorté de ses trois enfants —, les 60 à 70 millions de visiteurs sur lesquels on comptait ferme sèmeraient, sans même y penser, 21 milliards sur leur trajet de Javel à Bercy. Ainsi, moyennant ce modique péage, rien ne s'opposait à ce que la France ouvrît au monde *les chemins de la liberté.*

Cependant, plus inquiets qu'amusés, les observateurs des illusionnistes qui entendaient renouveler en 1989 les hauts faits de 1855, 1867, 1878, 1889, 1900 et 1937, sans apparemment s'apercevoir que les lieux et les temps avaient changé, ne pouvaient que souscrire aux critiques lancées en plein Sénat par le rapporteur du projet de loi qui devait donner une assise juridique à ces affriolants mirages : d'après l'analyse de M. Romani, sénateur de Paris, alors que les Expositions universelles de Bruxelles, de Montréal et d'Osaka occupaient de 500 à 1 000 hectares, l'espace disponible sur les bords de la Seine n'était tout au plus que de 130, et encore, non pas d'un seul tenant. 120 à 130 hectares de parking seraient indispensables : où les trouver ? Comment la région Ile-de-France logerait-elle trois à quatre fois plus de visiteurs qu'elle n'en reçoit bon an mal an ? Par quelle potion magique arrêterait-on à 15 milliards la progression des dépenses, alors que le seul coût des « équipements d'accompagnement » (expropriations, hébergement, transports et voirie) s'élevait à 20 milliards ? Les contraintes étaient accablantes, les charges, excessives, les marges bénéficiaires, incertaines : mieux valait stopper. On stoppa. Mû par une tardive sagesse, le gouvernement, après avoir annoncé à l'Univers qu'il allait voir ce qu'il allait voir, décréta qu'il ne verrait rien du tout et, si humiliante qu'elle fût pour la France, préféra la dérobade au fiasco.

Cette Exposition universelle devait être lancée par une autre exposition, dite *Expo des Expos,* consacrée à l'histoire des Expositions universelles.

Celui qui aurait annoncé à l'avance que l'Exposition universelle de 1989 serait décommandée et que cette nouvelle serait annoncée officiellement le jour même de l'inauguration de *l'Expo des Expos,* aurait passé pour un sinistre galéjeur, un chicaneau rompu aux procès d'intention, un mauvais Français.

C'est pourtant ce qui est arrivé en cet après-midi mémorable du 6 juillet 1983 où le ministre de la Culture, entouré des principaux organisateurs de l'exposition de 1989, a d'un même souffle annoncé à la presse réunie au musée des Arts décoratifs, que l'*Expo* de 1989 n'aurait pas lieu et déclaré ouverte l'*Expo des Expos.*

De la même manière, quelle bordée d'invectives accueillerait celui qui annoncerait aujourd'hui que la pyramide tracée à l'ordinateur, ce sous-sol emphatique, ces kilomètres de galeries, ce « Louvre palatial », le déménagement ruineux de Flore, le réseau des escalators et des « pénétrantes », « l'ensemble colloques », sans parler de la galerie marchande qui « animera » le sous-sol des Tuileries, ne changeront rien à rien, car le visiteur continuera de se heurter aux mêmes portes closes, avec la seule différence que le Grand Louvre sera plus scientifiquement, plus électroniquement, plus grandiosement fermé.

Mauvais esprit ? Procès tendancieux ? Reportons-nous au « pré-programme définitif ».

Il est déjà prévu que, pour remédier aux insuffisances du budget de fonctionnement, une association pour le

Grand Louvre, qui sera, d'ailleurs, à peine plus au large que la société des Amis du Louvre (35 m^2 contre 20 dans le sous-sol) « apportera un soutien au fonctionnement du Musée, à chaque fois qu'il faudra pallier une insuffisance du fonctionnement para-muséologique due à une absence de budget de fonctionnement : accueil, encadrement des jeunes, promotion d'actions, etc. » — et sans doute gardiennage, si besoin est !

Supposons, toutefois, que les bénévoles manquent à l'appel. Le visiteur n'en sera pas pour autant perturbé. Il lui suffira de consulter les tables d'information que le rapport de la SODETEG décrit en ces termes :

« Une gamme de boutons lumineux propose aux visiteurs des buts de visite. Ils sont classés par départements et collections et offrent les niveaux de détail supplémentaire par rapport aux panneaux généraux décrits précédemment.

« Un certain nombre de boutons correspond aux œuvres "phare" des départements.

« En pressant sur l'un des poussoirs, le visiteur voit s'allumer un cheminement lumineux, et, en gros caractères, l'accès à utiliser.

« En complément de ce dispositif très classique, le visiteur trouvera des systèmes électroniques plus complexes, destinés à lui proposer des circuits de visite. Ces ensembles, utilisant un support informatique et les techniques vidéotexte se présenteront sous forme d'écrans de grande dimension (56 cm par exemple) et d'un clavier à poussoirs repérés.

« Le visiteur sélectionnera successivement :

- une durée de visite ou l'option d'un but unique,
- la ou les collections, centres d'intérêt ou œuvres spécifiques qu'il désire voir,
- éventuellement l'ordre dans lequel il souhaite s'y rendre.

« Un ordinateur analysera le choix ainsi fait puis proposera une solution de circuit au visiteur, solution qui s'affichera sur l'écran sous forme de schéma repéré, avec indication des niveaux et des principales étapes. »

Mais voici la chute :

« Un certain nombre de panneaux électroniques de salles ouvertes ou fermées, tels que mentionnés plus haut et décrits plus loin, seront également implantés dans cet ensemble. Leur nombre dépend de la disposition des lieux.

Plus précisément, trois voyants lumineux peuvent s'allumer :

- vert pour indiquer que le secteur concerné est ouvert,
- rouge, qu'il est fermé,
- jaune, que certaines salles sont fermées. Ce voyant renvoie au système d'information sur les salles ouvertes et fermées. »

Ainsi, il est déjà prévu que, grâce à un appareillage électronique des plus sophistiqués, le visiteur qui désirera accéder à la salle de son choix, pourra, sans quitter « le Hall Napoléon, Centre de Vie », recevoir la bonne nouvelle :

« Fermé ! »

Le Moulin-Neuf, 1er août 1984
Bibliothèque Marmottan, 28 novembre 1984

TABLE

ACHEVÉ D'IMPRIMER
LE 8 JANVIER 1985
SUR LES PRESSES
DE
L'IMPRIMERIE
CARLO DESCAMPS
A CONDÉ-SUR-L'ESCAUT
59163 FRANCE
POUR JULLIARD
ÉDITEUR A PARIS

Dépôt légal : janvier 1985
N° d'éditeur : 4747
N° d'imprimeur : 3674

Imprimé en France